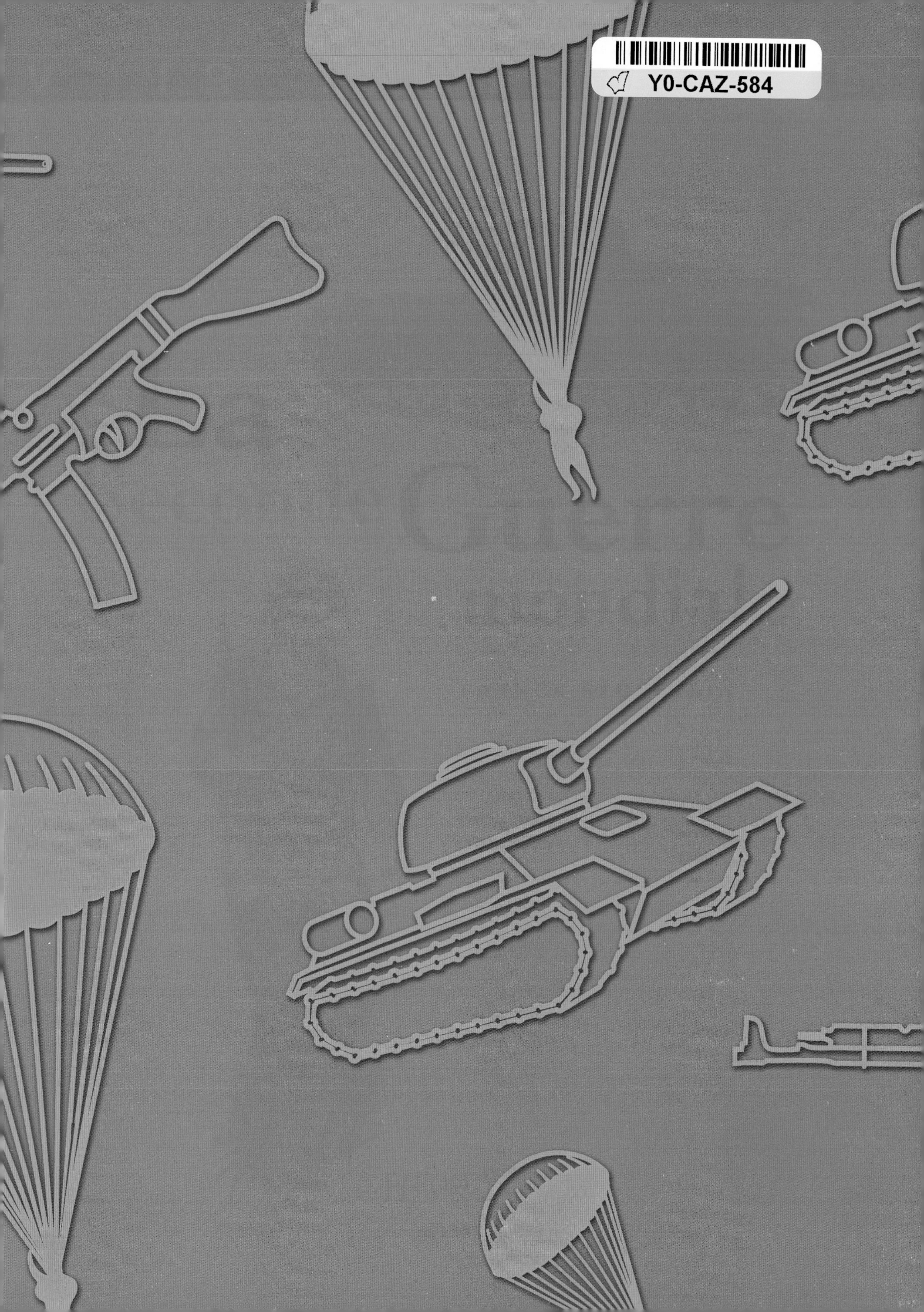

Texte : Franck Segrétain
Édition : Catherine Destephen
Conception graphique de la collection : Studio Bosson
Réalisation graphique : Didier Gatepaille
Couverture : Laurent Quellet et Thérèse Jauze
Contribution rédactionnelle : Mireille Touret

Film *Les Forces françaises libres* : BBC
Prémastering : DVD Maker

Direction éditoriale : Christophe Savouré
Direction du développement : Nicolas Ragonneau
Direction artistique : Laurent Quellet et Thérèse Jauze
Suivi d'édition : Servane Bayle
Fabrication : Thierry Dubus et Catherine Maestrati

Tous nos plus vifs remerciements à Émilie Lesage pour son aide précieuse.

15-27 rue Moussorgski, 75018 Paris
Dépôt légal : mars 2005
ISBN : 978-2-215-05541-9
N° d'édition : M12125
11e édition - juillet 2012
Code MDS : 591189

Photogravure : IGS Charente Photogravure
Achevé d'imprimer sur les presses de l'imprimerie Proost, Belgique.
Loi n° 49-956 du 16 juillet 1949 sur les publications destinées à la jeunesse.

Petit mode d'emploi...

Un **texte introductif** ouvre la double page sur le thème abordé.

Des **documents d'époque** et des **dessins** illustrent les différents aspects de la vie durant la Seconde Guerre mondiale.

La bataille d'Angleterre

En juillet 1940, les Britanniques restent seuls en guerre. La situation est difficile, mais le Pre[illegible] ministre Winston Churchill parvient à galvaniser son peuple et rejette toute négociation avec Hitler. Ce dernier ordonne donc l'invasion des îles Britanniques, mais il lui faut d'abord obtenir la maîtrise du ciel au-dessus de la Manche.

La Luftwaffe entre en scène

Le 2 août, Hitler décide d'intensifier la bataille au-dessus de l'Angleterre. Les Allemands concentrent alors près de 3 000 avions sur les aérodromes français et belges. La première grande offensive de la Luftwaffe* (le jour de l'Aigle) a lieu le 13 août. Les Allemands perdent 45 avions, contre 13 du côté des Britanniques. Le 15 août, la Luftwaffe fait 1 790 sorties, perd 75 avions quand les Anglais en perdent 34. Tout au long du mois d'août, la Royal* Air Force (RAF) doit faire face à des attaques allemandes quotidiennes. Des deux côtés, les pertes sont importantes. Si la RAF est à bout de souffle (plus de 20 appareils disparaissent par jour), les équipages allemands paient aussi un lourd tribut.

LE HEINKEL III

C'est le bombardier de la bataille d'Angleterre. Rapide et robuste, mais faiblement armé, il [illegible]st une proie facile pour les Spitfire et les Hurricane brita[illegible]ues. Le Heinkel 111 a aussi servi en Yougoslavie, en [illegible] puis en Russie.

LE SPITFIRE

Le Supermarine Spitfire (cracheur de feu) est le plus célèbre avion de chasse britannique de la Seconde Guerre mondiale. C'est l'appareil qui a permis de gagner la bataille d'Angleterre. Pouvant atteindre plus de 650 km/h, armé de deux canons et de quatre mitrailleuses, cet avion sera utilisé sur tous les fronts.

Londres visé

En représailles d'un ra[illegible] aérien anglais contre Berlin, Hitler décide de frapper [illegible]es civils. Le 7 septembre, les Londoniens sont directe[illegible]ent attaqués : le Blitz* allemand commence, il a p[illegible]ur but de terroriser les civils angla[illegible]s et de les démoraliser. En septem[illegible]re 1940, les Allemands larguent 7 00[illegible] tonnes de bombes sur Londres, tuen[illegible] 7 000 personnes et en blessent 10 000 [illegible]utres. Le 15 septembre, ils espèrent lanc[illegible]r le coup de grâce : 250 bombardiers et [illegible]00 chasseurs sont engagés. Mais grâce aux [illegible]adars, qui permettent de détecter les forma[illegible]ions ennemies, et aux rapides Spitfire, la Lu[illegible]twaffe n'obtient pas la victoire espérée.

Les Britanniques sous le Blitz

À partir du 17 septembre 1940, Hitler ordonne un bombardement systématique des régions les plus peuplées. Pendant la nuit du 15 octobre, 380 tonnes de bombes classiques et 70 000 bombes incendiaires sont larguées sur Londres. Un mois après, d'autres grandes villes sont visées : Birmingham, Southampton, Plymouth, Glasgow... Coventry est totalement détruit le 14 novembre 1940. Dans la nuit du 10 au 11 mai 1941, un raid massif sur Londres provoque 2 000 incendies et fait 3 000 victimes. Puis, fin mai, les unités de la Luftwaffe sont réquisitionnées pour préparer l'invasion de l'URSS*. Les raids sur l'Angleterre sont suspendus. Entre juillet 1940 et mai 1941, ces derniers auront fait 43 000 morts et 250 000 blessés. Et sur les 1 000 aviateurs de la RAF engagés, 400 sont morts au combat.

Les pilotes anglais ont réussi leur mission : Hitler a renoncé à envahir la Grande-Bretagne.

Des bombardiers allemands Heinkel 111, en formation, sont en route pour un raid au-dessus de la Grande-Bretagne.

La plupart des grandes villes de Grande-Bretagne subissent le Blitz, et des milliers de civils périssent dans l'effondrement de le[illegible]. Ici, une rue de Londres après le bombardement du 10 octobre [illegible]

octobre 1940 Charles Chaplin (Charlot) rem[illegible]orte un grand succès aux États-Unis avec son film Le Dictateur. Il y incarne les rôles d'un Juif et d'un dictateur ressemblant énormé[illegible]ent à Hitler. L'œuvre est un véritable hymne à la paix.

16 octobre 1940 À Varsovie, les Allemands créent le ghetto, un quartier de la ville entouré de murs où tous les Juifs sont concentrés. Le 15 novembre, le ghetto, avec ses 400 000 habitants, est isolé du reste de la ville.

24 octobre 1940 Le maréchal Pétain et Adolf Hitler se rencontrent dans la petite ville de Montoire. Leur poignée de main rend alors officielle la collaboration entre la France et l'Allemagne.

VOIR L'HISTOIRE

20 21

Des **légendes** permettent de replacer les documents dans leur contexte.

Une **frise chronologique**, déroulée sur l'ensemble du livre, présente les événements qui ont marqué le monde, durant la période.

Des **encadrés** proposent un éclairage particulier sur un thème précis.

- Les photos portant le logo DVD sont extraites du DVD *Les Forces françaises libres*.

- L'astérisque (*) signale les mots expliqués dans le **lexique** lors de leur première apparition sur une double page.

- Les **pictogrammes** de la frise chronologique aident à identifier la nature de l'événement :

 *Politique*

 *Religion*

 *Affaires militaires*

 *Sciences et techniques*

 *Culture*

 *Architecture*

 *Économie*

 *Vie quotidienne*

 *Géographie*

 *Déportations et exécutions*

Sommaire

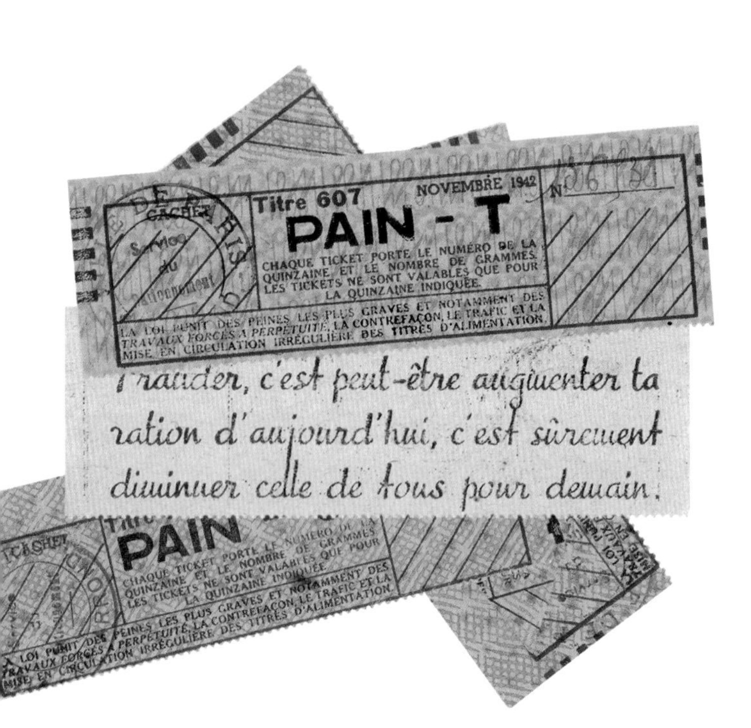

Titre 607
NOVEMBRE 1942
PAIN - T
CHAQUE TICKET PORTE LE NUMÉRO DE LA QUINZAINE ET LE NOMBRE DE GRAMMES. LES TICKETS NE SONT VALABLES QUE POUR LA QUINZAINE INDIQUÉE
LA LOI PUNIT DES PEINES LES PLUS GRAVES ET NOTAMMENT DES TRAVAUX FORCÉS A PERPÉTUITÉ, LA CONTREFAÇON, LE TRAFIC ET LA MISE EN CIRCULATION IRRÉGULIÈRE DES TITRES D'ALIMENTATION.
rauder, c'est peut-être augmenter ta
ration d'aujourd'hui, c'est sûrement
diminuer celle de tous pour demain.
PAIN

La montée des périls

Les traités signés après la guerre de 1914-1918 devaient assurer une paix durable en Europe, mais n'ont instauré qu'un équilibre précaire. Et lorsqu'en 1929, un krach* sans précédent ébranle les États-Unis et se propage au reste du monde, la paix est encore plus fragilisée...

Une crise économique mondiale

Le jeudi 24 octobre 1929, Wall Street, la Bourse de New York, connaît une chute brutale de ses cours. La production industrielle s'effondre ainsi que les prix et les salaires. Les faillites d'entreprises se multiplient, et des millions de travailleurs se retrouvent au chômage et souvent à la rue. Comme les États-Unis prêtaient de l'argent aux États européens afin de relever leur économie, les Bourses européennes baissent à leur tour. La crise gagne le reste du monde et l'équilibre fragile mis en place par la Société* des Nations (SDN) se retrouve en proie à une montée des nationalismes*.

À Wall Street, le jeudi 24 octobre 1929, des milliers de petits actionnaires ruinés se rassemblent devant la Bourse de New York dont les cours viennent de s'effondrer.

S'imposer par la violence

L'Allemagne est en pleine crise économique. Plus de 7 millions de personnes sont au chômage. La peur du communisme, et surtout la rancœur éprouvée contre les sévères exigences du traité de paix de Versailles (1919) ont engendré un fort courant nationaliste. Hitler (1889-1945), chef du parti national-socialiste* allemand (nazi), s'impose grâce à la violence de son mouvement et à son alliance avec les conservateurs. Son programme politique, exposé dans *Mein Kampf*, est antisémite et anticommuniste. Avec l'aide des SS*, il va mettre en place une dictature impitoyable.

De jeunes Allemands lisent Mein Kampf, *livre dans lequel Hitler expose clairement son programme politique.*

Adolf Hitler fonde le parti nazi en 1920.

mars 1933
Deux mois après l'arrivée de Hitler au pouvoir, le premier camp de concentration nazi est ouvert à Dachau, près de Munich. On y interne les opposants politiques.

1934
Heinrich Himmler devient le chef des SS et de la Gestapo. Il instaure un appareil policier d'une puissance redoutable et d'une férocité inouïe. Les droits de l'Homme sont bafoués et la liberté d'expression supprimée.*

Les coups de force nazis

Nommé chancelier du Reich* en janvier 1933, Hitler – qui se fait appeler le Führer ("chef, guide") – opère très vite une série de coups de force. Au nom de l'"espace vital" nécessaire à la prospérité allemande, il entame une politique expansionniste. En mars 1935, il annonce le réarmement de l'Allemagne. En 1936, prétextant que le pacte signé entre la France et l'URSS* est dirigé contre l'Allemagne, il fait entrer ses troupes en Rhénanie, région démilitarisée depuis 1919. La France et l'Angleterre ne réagissent pas.

En 1939, dans la ville de León, en Espagne, un arc de triomphe est érigé en l'honneur de la Légion Condor. Cette unité, formée d'aviateurs allemands, prit part aux côtés de Franco à la guerre civile espagnole.

BENITO MUSSOLINI (1883-1945)

En 1922, le fondateur du parti fasciste est nommé chef du gouvernement italien par le roi Victor-Emmanuel III. Il se fait alors accorder les pleins pouvoirs et met peu à peu en place une dictature. Chaque citoyen est soumis à l'État et à un parti politique unique. La popularité de Mussolini est cependant immense. L'Italie fasciste est d'ailleurs un modèle pour d'autres pays : la Hongrie, la Roumanie, l'Espagne, le Portugal et la Grèce adoptent eux aussi des régimes autoritaires.*

Au pays du Soleil levant

La grave crise économique amorcée au Japon en 1930 amène les militaires au gouvernement dès 1931. Ils ambitionnent de faire de l'Asie et du Pacifique un vaste empire pouvant fournir matières premières, pétrole, main-d'œuvre et débouchés pour leur industrie. Cette même année, le Japon envahit la Chine et s'empare de la Mandchourie. En juillet 1937, l'armée japonaise occupe Nankin, la capitale chinoise : plus de 300 000 habitants sont assassinés. L'ère des massacres a commencé.

Le rapprochement des dictatures

D'abord inquiet des volontés expansionnistes de Hitler en Autriche, Mussolini se rapproche pourtant vite de lui. L'Allemagne est la seule, en effet, à le soutenir lors de l'agression italienne contre l'Éthiopie en 1935. De plus, en 1936, l'Allemagne et l'Italie aident les nationalistes du général Franco contre les républicains espagnols. Un axe Rome-Berlin se forme en octobre de cette même année, consolidé un mois plus tard par le Pacte anticommuniste signé par l'Allemagne, l'Italie et le Japon.

En juillet 1937, le Japon attaque la Chine, première étape de son expansion en Asie. Sur la Grande Muraille, au nord de Pékin, les soldats nationalistes chinois attendent les troupes japonaises.

de juillet 1936 à mars 1939
Début de la guerre civile espagnole qui oppose le gouvernement républicain à l'armée nationaliste du général Franco. Ce terrible conflit fait plus de 600 000 morts. La victoire finale de Franco symbolise le succès des dictatures en Europe.

du 1er au 16 août 1936
Les XIe Jeux olympiques d'été s'ouvrent à Berlin. Contrairement aux attentes de Hitler, la vedette de ces olympiades est un athlète noir américain, Jesse Owens, qui rafle quatre médailles d'or et met à mal les théories raciales des nazis.

Le 14 mars 1938, Hitler entre dans Vienne au milieu d'une foule enthousiaste. Autrichien d'origine, il se rend ensuite dans sa ville natale de Braunau-am-Inn.

La marche à la guerre

Choisissant le parti de la guerre et misant sur la passivité de la France et de la Grande-Bretagne, Hitler décide de passer à la vitesse supérieure. Il entreprend, en Europe, les conquêtes nécessaires à l'expansion allemande, entraînant alors le monde dans la tourmente du conflit.

Première étape : l'Autriche

Au début de 1938, les nazis autrichiens intensifient leur propagande en faveur du rattachement de l'Autriche à l'Allemagne. Le 12 mars, sûr de l'appui de l'Italie, Hitler donne l'ordre à son armée d'envahir l'Autriche à l'appel du nazi autrichien Seyss-Inquart, nommé chancelier la veille. L'Anschluss (l'annexion) est proclamé, puis ratifié en avril par 99 % des suffrages en Allemagne et en Autriche. Les démocraties occidentales restent passives.

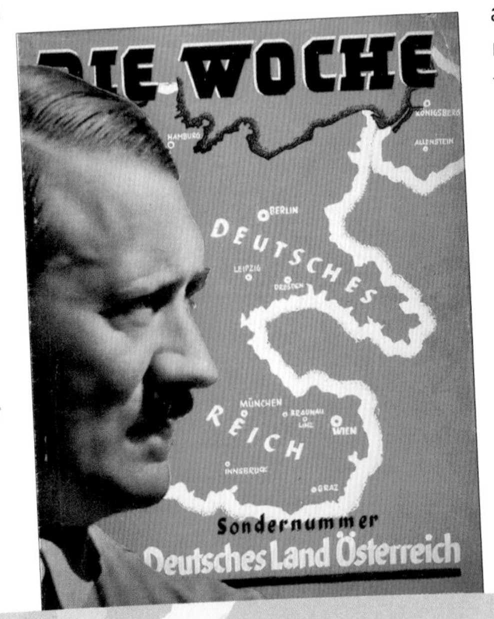

En mars 1938, le journal allemand Die Woche *fait sa une avec l'annonce du rattachement de l'Autriche à l'Allemagne.*

Les accords de Munich

La république de Tchécoslovaquie regroupe plusieurs provinces de l'ancien empire austro-hongrois, dont la région des Sudètes abritant une forte minorité allemande. Celle-ci revendique l'autonomie en 1938, mais le gouvernement tchèque refuse. Soutenue par Hitler, elle demande alors son rattachement à l'Allemagne. Une réunion a lieu le 30 septembre 1938 à Munich entre Hitler, Mussolini et les chefs des gouvernements français et anglais, Daladier et Chamberlain. Espérant éviter la guerre, ces derniers abandonnent les Sudètes à l'Allemagne. En mars 1939, la Slovaquie déclare son indépendance, et l'armée allemande occupe Prague et la Bohême-Moravie : la Tchécoslovaquie disparaît.

de 1936 à 1938
Staline organise, à Moscou, des procès contre d'anciens camarades du Parti et des militaires de haut grade. Il les accuse d'être des traîtres à l'URSS et de travailler pour les nazis.

21 mars 1937
Le texte du pape Pie XI Mit Brennender Sorge ("Avec une vive inquiétude"), lu dans les églises catholiques d'Allemagne, condamne le nazisme. Le pouvoir réagit : presbytères fouillés, imprimeurs arrêtés, portraits de Hitler remplaçant les crucifix dans les écoles...

Une étape décisive vers la guerre

La dérobade des démocraties est sévèrement jugée par les petits pays européens qui se savent à la merci des dictatures. Le dirigeant communiste de l'URSS*, Joseph Staline, s'inquiète également et entame des négociations avec Hitler. Désormais, pour la France et l'Angleterre, le seul moyen d'empêcher une guerre est de faire preuve de fermeté. En avril 1939, elles promettent leur aide aux pays menacés par l'Allemagne, notamment la Pologne. Elles engagent alors des pourparlers avec Staline, car obtenir le soutien des Soviétiques devient primordial.

Le Pacte germano-soviétique

Le 23 août 1939, le monde stupéfait apprend que l'Allemagne hitlérienne et l'Union soviétique, deux régimes pourtant opposés, ont signé un pacte de non-agression. Pour Staline, qui craint toujours la convoitise allemande sur les territoires russes, ce pacte est un répit. De plus, certaines clauses secrètes lui assurent de récupérer les territoires perdus en 1918 (dont une partie de la Pologne). Quant à Hitler, il évite une guerre sur deux fronts et peut accéder au pétrole et aux matières premières russes. Ayant désormais les mains libres et comptant sur une nouvelle dérobade des démocraties, il exige alors que la Pologne restitue à l'Allemagne la ville de Dantzig*.

JOSEPH STALINE (1879-1953)

Staline n'a qu'un rôle effacé pendant la révolution d'Octobre 1917 qui amène les communistes et Lénine au pouvoir. Mais après la mort de celui-ci, en 1924,

il prend le contrôle du Parti et du gouvernement de l'URSS. Il concentre tous les pouvoirs et fait éliminer ses opposants. Les déportations dans les goulags – des camps de travail – engloutissent des millions de personnes. À partir de 1934, Staline épure systématiquement les cadres du Parti et les officiers de l'armée, se privant ainsi de ses meilleurs chefs.

9-10 novembre 1938
Un énorme pogrom est organisé dans toute l'Allemagne contre la population juive. Des nazis brûlent des synagogues et des biens appartenant à des Juifs, et assassinent une centaine d'entre eux. C'est ce que l'on a appelé la Nuit de Cristal.*

23 mars 1939
L'Allemagne annexe la ville lituanienne de Memel. En avril 1939, l'Italie attaque l'Albanie qu'elle annexe également. La conquête de l'espace vital a commencé.

Les débuts de la guerre en Europe

Le 3 septembre 1939, la Grande-Bretagne et la France entrent en guerre contre l'Allemagne qui, deux jours plus tôt, a envahi la Pologne. La Seconde Guerre mondiale vient d'éclater. Cependant, conformément à leur stratégie défensive, Français et Anglais assistent à la défaite polonaise sans se décider à attaquer l'Allemagne.

Les divisions blindées constituent l'élément essentiel de la guerre éclair allemande. Elles doivent rompre le front puis s'engouffrer sur les arrières de l'ennemi. Elles peuvent également accompagner la progression des fantassins.

L'invasion de la Pologne

Depuis le début de 1939, Hitler demande qu'une partie du territoire polonais soit rattachée au Reich*. La France et la Grande-Bretagne poussent néanmoins la Pologne, avec qui elles sont alliées, à refuser. Cependant, sans aucune déclaration de guerre, les Allemands envahissent cette dernière le 1er septembre 1939. L'armée polonaise est vite prise en tenaille et subit les bombardements intensifs de la Luftwaffe*, l'aviation allemande. Lorsque le 17 septembre les Soviétiques entrent à leur tour en Pologne, son armée est déjà défaite par la Wehrmacht*. Vaincu, le pays est partagé entre ses puissants voisins.

LA BLITZKRIEG

Cette stratégie offensive repose sur l'utilisation combinée des chars, de l'infanterie et de l'aviation, afin de mener une guerre de mouvement. Motorisation des unités, rapidité d'exécution et concentration des forces mécanisées permettent d'enfoncer rapidement les lignes ennemies.

Le 1er septembre 1939, des soldats allemands brisent la barrière de la douane polonaise.

30 novembre 1939
L'URSS attaque la Finlande dont elle exige des territoires. Après une farouche résistance, l'armée finlandaise se retrouve vaincue en mars 1940.*

20 mars 1940
Le gouvernement français d'Édouard Daladier démissionne face à l'hostilité d'une majorité de parlementaires. Paul Reynaud devient président du Conseil.

La "drôle de guerre"

Sur le front de l'Ouest, de septembre 1939 à mai 1940, tout est plutôt calme. Les attaques allemandes sont différées à cause du mauvais temps. Comme les opérations militaires restent limitées, l'inaction et l'ennui pèsent sur le moral des troupes alliées. Les Français se demandent pourquoi ils devraient se battre, puisque la Pologne a été vaincue et que la France n'est pas attaquée. En Allemagne, la propagande assure le peuple de la victoire prochaine.

En deux semaines de combat, les Polonais compteront 266 000 soldats tués et blessés, et 690 000 prisonniers.

LA LIGNE MAGINOT

Imaginée au début des années 1920 et réalisée au cours des années 1930, la ligne Maginot est au cœur de la stratégie défensive française. C'est une ligne de fortins et de galeries souterraines (ci-dessous), armée de puissants canons. Elle est censée protéger la frontière française, de la Suisse jusqu'à Sedan. C'est justement là que les Allemands ont décidé de percer le front français.

Deux stratégies opposées

Adeptes d'une stratégie défensive, les Alliés sont persuadés qu'ils sont partis pour une longue guerre d'usure. Leur tactique, en effet, n'a pas changé depuis la Grande Guerre : les troupes sont dispersées le long d'un front continu, les chars et les avions subordonnés à l'infanterie. Ils pensent aussi que la victoire viendra de la supériorité matérielle. Avec l'aide de leurs colonies qui fournissent des matières premières, Français et Britanniques veulent donc gagner du temps pour renforcer leur armement et leur ravitaillement. À l'inverse, les Allemands fondent leurs espoirs sur un conflit rapide devant mettre définitivement l'ennemi hors de combat. C'est la conception de la "guerre éclair" ou Blitzkrieg.

avril 1940
En Pologne, les nazis construisent le camp de concentration d'Auschwitz. Dans les territoires polonais qu'ils occupent, les Soviétiques déportent une partie de la population vers l'est et assassinent, à Katyn, 10 000 officiers polonais faits prisonniers.

avril 1940
L'Allemagne hitlérienne attaque le Danemark et la Norvège. Malgré l'envoi de renforts franco-britanniques en Norvège, ces deux pays tombent entre les mains des Allemands.

Blitzkrieg à l'Ouest

Après huit mois d'attente, l'assaut général allemand est donné à l'aube du 10 mai 1940. Surpris, puis pris de vitesse, les Alliés sont incapables de résister à cette guerre éclair.

Les forces en présence

En mai 1940, 135 divisions allemandes font face à 104 divisions franco-britanniques et 22 divisions belges. Les Français sont confiants dans leur défense et pensent que pour éviter la ligne Maginot *(voir p. 11)* et la forêt des Ardennes, les Allemands seront obligés de traverser la Belgique. Par conséquent les unités françaises les plus modernes sont sur la frontière pour entrer en Belgique et contrer l'armée allemande.

L'offensive allemande

L'attaque allemande est lancée le 10 mai 1940 aux Pays-Bas et en Belgique afin d'attirer les Alliés vers le nord. À l'aube, des parachutistes de la Wehrmacht* s'emparent de l'indispensable fort belge d'Eben-Emael. Pour faire face aux Allemands et soutenir les Belges et les Hollandais, les Alliés entrent en Belgique. Le 14 mai, le violent bombardement de Rotterdam fait plus de 1 000 victimes civiles. L'armée hollandaise capitule. Malgré une farouche résistance à Gembloux, près de Namur, Belges et Franco-Britanniques se replient vers l'ouest.

LE BOMBARDIER STUKA

Le Junker 87 Stuka, bombardier en piqué, est un élément essentiel de la guerre éclair. Il est chargé d'appuyer l'attaque des chars en bombardant les fantassins ennemis. Sa particularité est une sirène qui entre en action lorsque l'appareil amorce un piqué. Sur les routes de l'exode, ce hurlement terrifie soldats et civils.

La Luftwaffe n'hésite pas à bombarder systématiquement les routes, les ponts mais aussi les agglomérations pour terroriser la population.*

LES CHARS ALLEMANDS

Les chars légers Panzer sont peu blindés et peu armés. Inférieurs en puissance aux chars français, ils s'avèrent cependant plus efficaces que ces derniers puisque utilisés en formations de masse, et appuyés par l'aviation lors du franchissement des lignes ennemies.

10 mai 1940
L'offensive allemande contre les Pays-Bas, la Belgique et le Luxembourg a pour but d'attirer en Belgique les troupes franco-britanniques les plus modernes.

du 17 au 20 mai 1940
À Montcornet et à Crépy, dans le département de l'Aisne, la 4e division cuirassée, commandée par le colonel de Gaulle, arrête la progression des blindés allemands vers l'ouest.

Les chars percent le front à Sedan

Pendant que les Franco-Britanniques pénètrent en Belgique, 9 divisions blindées allemandes progressent dans la forêt des Ardennes. Le 13 mai, des centaines de panzers* arrivent dans la région de Sedan et surprennent les Français qui, vite débordés, ne peuvent faire face à l'attaque. Certaines divisions, soumises à de violents bombardements aériens, se replient sans combattre, d'autres continuent la lutte mais ne réussissent pas à reformer un front solide. Dès le 21 mai, les panzers atteignent l'embouchure de la Somme. C'est ainsi qu'en remontant vers le nord, les Allemands encerclent les troupes alliées et les poussent jusqu'à Lille et Dunkerque. Le 25 mai, l'armée belge s'effondre. Trois jours plus tard, le roi Léopold III signe la capitulation militaire alors que son gouvernement s'exile à Londres.

Le 13 mai 1940, les premiers éléments blindés de la Wehrmacht traversent la Meuse dans la région de Sedan, évacuée par les Français.

LE DEWOITINE 520

Rapide et bien armé, il est le meilleur chasseur français de la guerre. Mais seuls 36 exemplaires sont en service le 10 mai 1940.

Dans la poche de Dunkerque

C'est là que les meilleures unités françaises et britanniques sont prises dans le piège, repoussées par l'armée allemande qui atteint la mer le 23 mai. Le lendemain, sur ordre de Hitler, l'avancée allemande le long de la côte marque un temps d'arrêt et ne reprend que le 26. L'embarquement des Alliés peut commencer. Jusqu'au 4 juin, malgré les bombardements intensifs, 335 000 hommes, dont 116 000 Français, embarquent à Dunkerque et gagnent l'Angleterre. L'armée allemande peut alors déferler sur la France et attaquer les troupes massées le long de la ligne Maginot.

Britanniques et Français abandonnent tout leur matériel sur les plages de Dunkerque et évacuent la ville sous les bombardements.

23 mai 1940
Les premiers blindés allemands atteignent la Manche. Les troupes franco-britanniques sont encerclées dans le Nord, autour de Lille et de Dunkerque, et en Belgique.

5 juin 1940
Le chef du gouvernement, Paul Reynaud, appelle à ses côtés le maréchal Pétain – le vainqueur de Verdun – afin de redonner confiance aux Français. De Gaulle, tout juste promu général, est nommé sous-secrétaire d'État à la Défense nationale.

Dans la tourmente de la défaite

En juin 1940, la France connaît l'un des pires moments de son histoire. C'est le début du déferlement des troupes allemandes sur le sol français, et des milliers de civils se retrouvent sur les routes pour fuir l'envahisseur...

Sur les routes de l'exode pendant l'été 1940.

L'exode des civils

Commencé dès les premiers combats en Belgique, l'exode des populations civiles prend des proportions dramatiques. Un raz-de-marée humain, terrifié par les attaques et les sirènes hurlantes des bombardiers allemands Stuka, submerge les routes. Quittant leurs maisons, traînant charrettes et baluchons, hommes, femmes, enfants et vieillards tentent de prendre des trains déjà bondés dans des gares bombardées. Ils fuient les combats, les bombardements aériens et les méfaits allemands : exécutions de prisonniers de guerre et d'otages, viols ainsi que pillages de villages abandonnés. Les soldats français, ivres de fatigue, se joignent à eux dans le sauve-qui-peut général.

Le gouvernement en fuite

Au milieu de la peur et de la confusion, de la débâcle militaire et de l'exode de 8 millions de civils, le gouvernement part sur les routes encombrées et mitraillées pour trouver refuge à Tours puis à Bordeaux. Les administrations, les gendarmes, les pompiers quittent villes et villages. Une nation s'effondre.

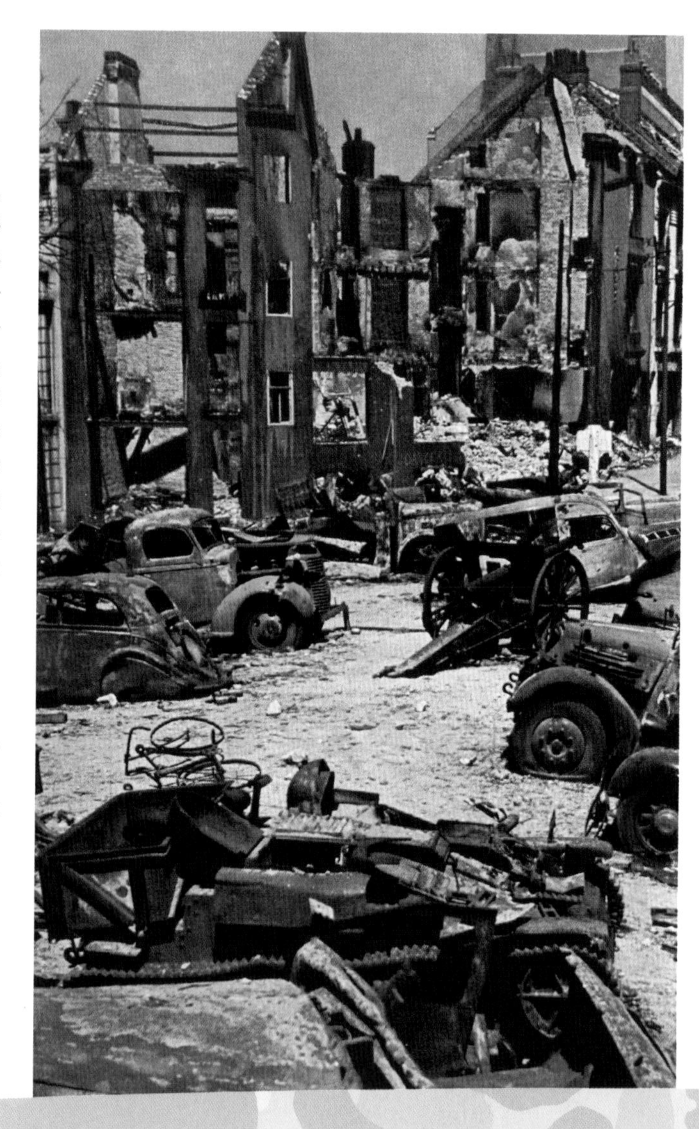

Les Allemands bombardent les convois et les villes où les civils se réfugient. Ci-contre, Calais après un raid aérien.

9 juin 1940
Sur l'ordre de Paul Reynaud, le général de Gaulle se rend à Londres afin de demander des renforts ainsi que l'aide de la RAF.*

10 juin 1940
L'Italie déclare la guerre à la France et à la Grande-Bretagne. Les Français défont les armées italiennes dans les Alpes.

La retraite générale

Après Dunkerque, l'armée française tente de reconstituer une ligne de défense sur la Somme, l'Oise et l'Aisne; mais le 5 juin, ce front est percé et les blindés allemands se déploient vers Rouen et Épinal. Les Français combattent à un contre trois, et leurs positions cèdent sous la rapidité des manœuvres allemandes. Le 12 juin, l'ordre de la retraite générale est donné. Paris, déclaré ville ouverte*, est occupé le 14. Les combats se poursuivent sur la ligne Maginot, sur la Loire et aussi dans les Alpes, contre les Italiens entrés en guerre le 10 juin. Le nouveau président du Conseil, le maréchal Pétain, prend alors sa décision: il faut cesser le combat.

La déroute est totale, et des dizaines de milliers de soldats français sont faits prisonniers. Ils entament alors une marche interminable vers les camps de détention en Allemagne.

L'armistice est signé

Le 17 juin, à midi trente, lors d'une allocution à la radio, Pétain appelle à cesser le combat et demande les conditions de l'armistice*. Celui-ci est signé le 22 juin à Rethondes, et les hostilités cessent le 25 juin. En moins de sept semaines, 1,8 million de soldats français ont été fait prisonniers, 92 000 ont été tués et 225 000 blessés. Des milliers de civils sont morts lors des bombardements, les villes et les villages sont dévastés, et les routes de France regorgent de millions de personnes en fuite. Les clauses de l'armistice sont draconiennes: l'armée est réduite à 100 000 hommes, la flotte de guerre est neutralisée et d'importants frais d'occupation doivent être payés. Les Allemands découpent la France en sept zones *(voir p. 16-17)*. Seule la Grande-Bretagne lutte encore contre l'Allemagne nazie.

FIDÈLE AU POSTE !

À Chartres, seul le préfet du département, Jean Moulin, est présent à son poste. Refusant d'exécuter l'ordre de repli, il reste pour mettre en place un service d'accueil, de soins et de distribution de nourriture pour les réfugiés affluant du nord de la France et de la région parisienne.

C'est à Rethondes, dans le wagon où le maréchal Foch avait reçu la reddition des Allemands après la défaite de 1918, que le général Huntziger (à droite sur la photo) signe la convention d'armistice. L'endroit a été volontairement choisi par Hitler afin d'effacer "l'humiliation" de la Première Guerre mondiale.

14 juin 1940
Les Allemands entrent dans Paris. La ville est désertée par une grande partie de la population qui fuit vers le sud, sur les routes de l'exode.

16 juin 1940
Paul Reynaud, le chef du gouvernement français, donne sa démission. Il est alors remplacé par le maréchal Pétain qui demande aussitôt l'armistice.

La France morcelée

Grâce à Pétain, Hitler espère conserver hors du conflit une France qui dispose encore d'un empire colonial et d'une puissante flotte de guerre. L'armistice* prévoit une ligne de démarcation entre une zone occupée par l'armée allemande et une zone libre. La France est pourtant tronçonnée en sept.

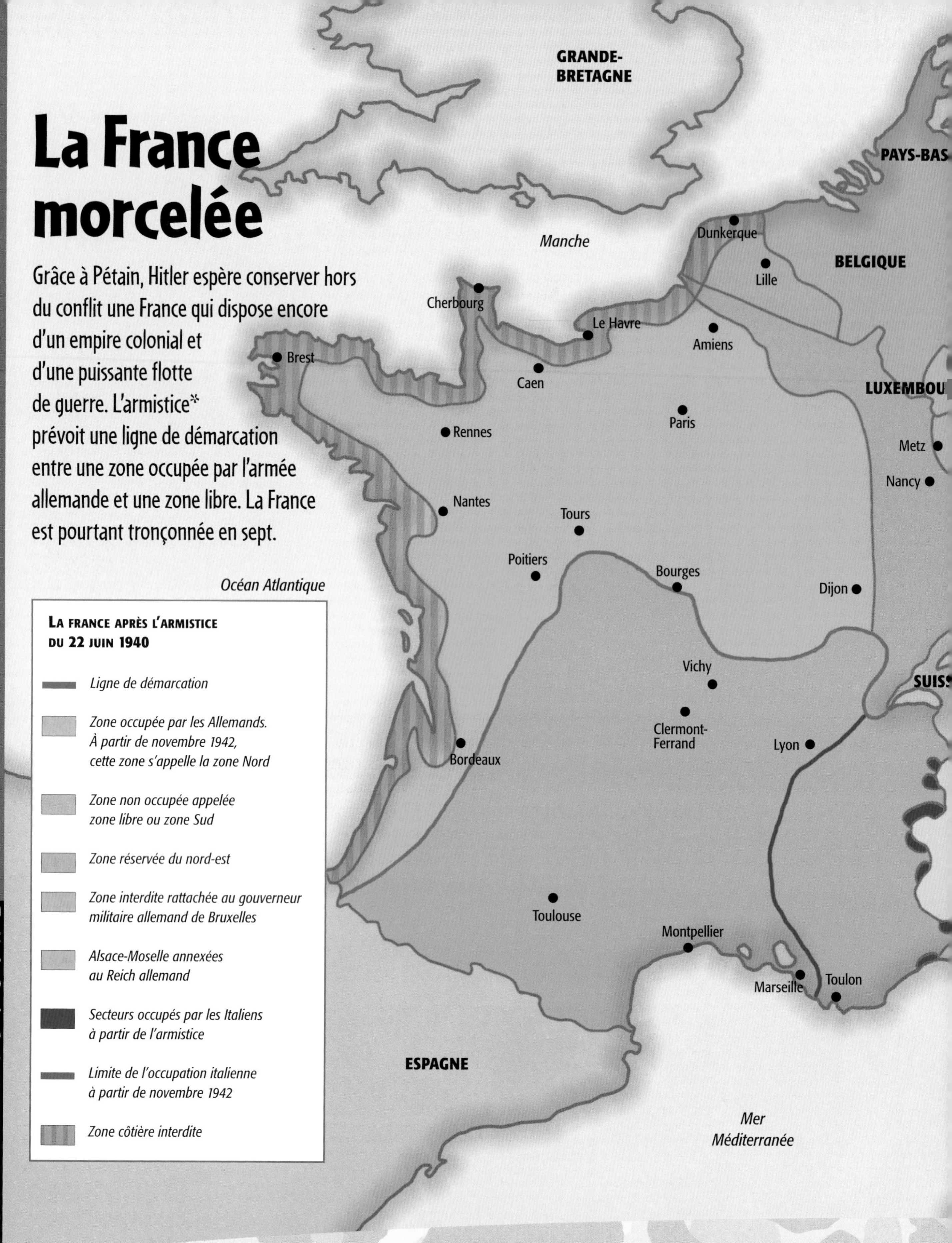

La France après l'armistice du 22 juin 1940

- *Ligne de démarcation*
- *Zone occupée par les Allemands. À partir de novembre 1942, cette zone s'appelle la zone Nord*
- *Zone non occupée appelée zone libre ou zone Sud*
- *Zone réservée du nord-est*
- *Zone interdite rattachée au gouverneur militaire allemand de Bruxelles*
- *Alsace-Moselle annexées au Reich allemand*
- *Secteurs occupés par les Italiens à partir de l'armistice*
- *Limite de l'occupation italienne à partir de novembre 1942*
- *Zone côtière interdite*

GRANDE-BRETAGNE
PAYS-BAS
Manche
BELGIQUE
LUXEMBOU
SUISS
ESPAGNE
Océan Atlantique
Mer Méditerranée
Dunkerque
Lille
Cherbourg
Le Havre
Amiens
Brest
Caen
Paris
Rennes
Metz
Nancy
Nantes
Tours
Poitiers
Bourges
Dijon
Vichy
Clermont-Ferrand
Lyon
Bordeaux
Toulouse
Montpellier
Marseille
Toulon

3 juillet 1940
Après l'armistice, Churchill craint que la flotte française basée à Mers el-Kébir, en Algérie, ne tombe aux mains de l'ennemi. La Royal Navy envoie un ultimatum, puis lance son attaque. En 20 minutes, des navires sont coulés, 1 297 marins français sont tués (voir DVD, chap. 2).*

juillet 1940
L'amiral Muselier, le chef des Forces aériennes et navales françaises libres, adopte la croix de Lorraine comme symbole pour ses unités.

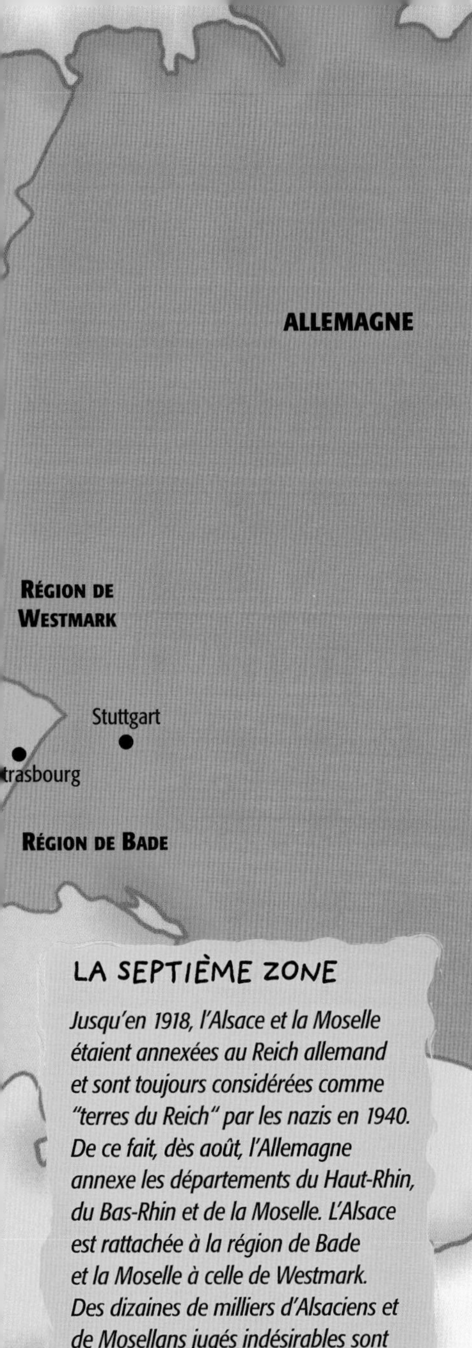

La ligne de démarcation

Selon la convention d'armistice, « le territoire français situé au nord et à l'ouest de la ligne de démarcation sera occupé par les troupes allemandes ». Longue de 1 200 km, cette ligne traverse la France de la frontière suisse à la frontière espagnole et coupe en deux treize départements.

Ausweis !

En août 1940, un régime rigoureux de laissez-passer, ou Ausweis, est instauré. Les "indésirables" n'y ont pas droit, en particulier les Juifs. Les trains traversant la ligne sont minutieusement contrôlés ainsi que les pièces d'identité des passagers. Dès lors, beaucoup de Français tentent de passer clandestinement la ligne de démarcation.

Ce laissez-passer, très difficile à obtenir, est obligatoire pour passer d'une zone à l'autre.

LA SEPTIÈME ZONE

Jusqu'en 1918, l'Alsace et la Moselle étaient annexées au Reich allemand et sont toujours considérées comme "terres du Reich" par les nazis en 1940. De ce fait, dès août, l'Allemagne annexe les départements du Haut-Rhin, du Bas-Rhin et de la Moselle. L'Alsace est rattachée à la région de Bade et la Moselle à celle de Westmark. Des dizaines de milliers d'Alsaciens et de Mosellans jugés indésirables sont expulsés dès octobre 1940 et sont en partie remplacés par des colons allemands.

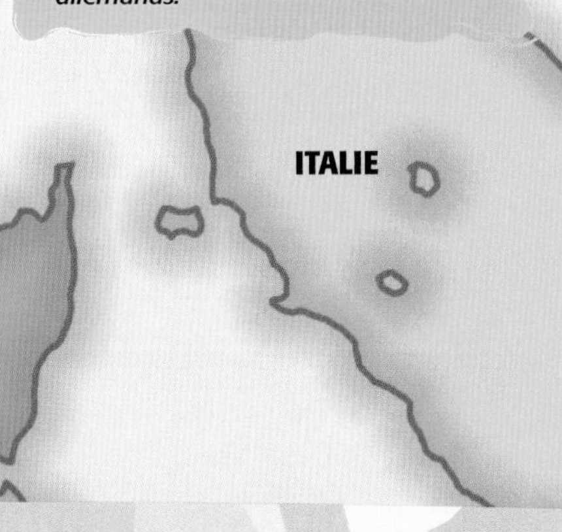

Les différentes zones

Placée sous l'autorité du commandement militaire allemand en France, la zone occupée ou zone Nord comprend notamment la région parisienne. Le gouvernement de Vichy y exerce son autorité, mais les Allemands interdisent son retour à Paris.

La zone Sud, dite libre, est administrée uniquement par l'État français. Les Allemands n'y ont aucun pouvoir, mais peuvent intervenir au moindre incident.

La zone côtière interdite s'étend sur toute la longueur des côtes atlantiques et de la Manche, sur une largeur variant de 15 à 50 km. Seuls les résidents et les personnes munies d'un laissez-passer y ont accès.

Considérés comme zone de guerre, les départements du Nord et du Pas-de-Calais sont placés sous l'administration des autorités militaires allemandes de Bruxelles, et connaissent un isolement total jusqu'au début de 1941. Le gouvernement de Vichy y rétablit un semblant de souveraineté, mais pour les Allemands, cette zone reste détachée de la France.

Tous les départements du nord-est sont en zone interdite puisque les Allemands souhaitent les annexer au Reich*. L'administration française y est réduite. On ne peut s'y rendre que difficilement. Ceux qui ont fui leur habitation n'ont pas le droit d'y retourner.

La zone occupée par les Italiens s'étend du lac Léman à la Méditerranée, mais seules certaines parties sont effectivement occupées.

août 1940
Des émissaires de la France Libre arrivent clandestinement en France occupée afin de pouvoir établir un contact avec les premiers résistants.

fin août 1940
En Indochine, les Français se voient obligés de concéder des bases militaires aux Japonais, plutôt que d'être envahis militairement et faire face à un second front en Asie.

« À 49 ans, j'entrai dans l'aventure » écrira de Gaulle dans ses *Mémoires de guerre*.

La France Libre

Membre du gouvernement français du 5 au 16 juin 1940, le général de Gaulle n'accepte ni la défaite ni l'occupation, et rejoint Londres pour poursuivre la lutte avec les Britanniques. Le 18 juin, il appelle les Français à la résistance et fonde le mouvement de la France Libre.

L'appel du 18 Juin

Sur les antennes de la BBC, le mardi 18 juin 1940, le général de Gaulle lance un appel à l'attention de ses compatriotes. Il faut continuer le combat : « quoi qu'il arrive, la flamme de la résistance française ne doit pas s'éteindre et ne s'éteindra pas ! » Même si, dans la France désemparée de juin 1940, l'appel de Londres est plutôt ignoré, il reste un discours prémonitoire sur le caractère mondial du conflit et il deviendra, au fil du temps, la voix de la France Libre, et de Gaulle un symbole.

A TOUS LES FRANÇAIS

La France a perdu une bataille!
Mais la France n'a pas perdu la guerre!

Des gouvernants de rencontre ont pu capituler, cédant à la panique, oubliant l'honneur, livrant le pays à la servitude. Cependant, rien n'est perdu!

Rien n'est perdu, parce que cette guerre est une guerre mondiale. Dans l'univers libre, des forces immenses n'ont pas encore donné. Un jour, ces forces écraseront l'ennemi. Il faut que la France, ce jour-là, soit présente à la victoire. Alors, elle retrouvera sa liberté et sa grandeur. Tel est mon but, mon seul but!

Voilà pourquoi je convie tous les Français, où qu'ils se trouvent, à s'unir à moi dans l'action, dans le sacrifice et dans l'espérance.

Notre patrie est en péril de mort.
Luttons tous pour la sauver!

VIVE LA FRANCE !

C. de Gaulle

GÉNÉRAL DE GAULLE

18 Juin 1940

QUARTIER-GÉNÉRAL,
4, CARLTON GARDENS,
LONDON, S.W.1

Cette affiche, placardée sur les murs de Londres en juillet 1940, est un résumé des déclarations radiophoniques de de Gaulle.

LE GÉNÉRAL DE GAULLE (1890-1970)

Charles de Gaulle naît à Lille dans une famille catholique et patriote. Il s'oriente vers une carrière militaire et est admis à l'école militaire de Saint-Cyr. Il est ensuite affecté au 33e régiment d'infanterie, stationné à Arras et commandé par le colonel Pétain. Pendant la Grande Guerre, il est blessé trois fois et est fait prisonnier à Verdun en 1916. En 1934, il publie Vers l'armée de métier, *dans lequel il développe ses théories sur l'emploi des blindés dans la guerre moderne. Pendant la campagne de mai-juin 1940, il s'illustre à la tête de la 4e division cuirassée en livrant bataille à Montcornet et Abbeville. Début juin, il est nommé général de brigade et devient sous-secrétaire d'État à la Défense nationale et à la Guerre dans le gouvernement de Paul Reynaud.*

Une poignée de volontaires

Le général de Gaulle ne parvient à rallier à sa cause ni les hommes politiques importants, ni les militaires de haut rang. Même en Angleterre, parmi les milliers de soldats français évacués de Norvège ou de Dunkerque, seuls 2 000 d'entre eux décident de poursuivre le combat et refusent d'être rapatriés en France. Malgré cet isolement et le caractère désespéré de sa situation, Charles de Gaulle souhaite avant tout maintenir la France dans la guerre. Le 14 juillet 1940, il passe en revue les premières troupes des Forces françaises libres (FFL) qui défilent à Londres. Et le 7 août, le gouvernement britannique le reconnaît comme « le chef de tous les Français libres » *(voir DVD, chap. 2)*.

septembre 1940
Pendant le Blitz, les Londoniens se réfugient dans le métro. Lorsque les bombardements sont effectués de nuit, ils font la queue devant les stations dès le début de l'après-midi. Même les escaliers et les rails sont investis après l'arrêt du trafic.*

25 septembre 1940
Le général de Gaulle subit un échec à Dakar alors qu'il tente de rallier à sa cause l'Afrique occidentale française (AOF). Comme l'Afrique du Nord, l'AOF reste du côté du gouvernement de Vichy (voir DVD, chap. 3).*

Le colonel Leclerc accueille de Gaulle à Douala, au Cameroun, après avoir été nommé par ce dernier commissaire général de ce territoire.

Les ralliements de l'empire

Dans l'empire colonial, les Nouvelles-Hébrides, la Nouvelle-Calédonie, les comptoirs des Indes et Tahiti choisissent de poursuivre la lutte et rejoignent de Gaulle. En Afrique, le 26 août 1940, le gouverneur général Félix Éboué, partisan de de Gaulle, rallie le Tchad à la cause de la France Libre, ce qui provoque le rassemblement de presque toute l'Afrique équatoriale française (AEF*). C'est la première grande victoire pour la France Libre. Le 27 octobre, à Brazzaville, de Gaulle crée le Conseil de défense de l'empire, sorte de gouvernement reconnu par Winston Churchill pour représenter les intérêts de la France en guerre. Le 9 novembre 1940, le Gabon est rallié par la force par le colonel Leclerc. Grâce à l'action du général de Gaulle, la France Libre dispose d'un territoire, d'un gouvernement et d'une armée.

Le gouverneur du Tchad, Félix Éboué, prend contact avec le général de Gaulle dès juillet 1940.

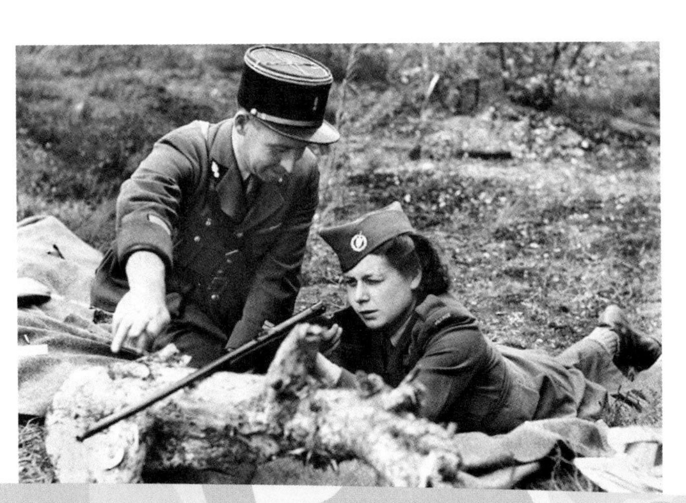

Cette jeune femme, engagée dans les rangs des Français Libres, s'entraîne au tir sur le sol anglais.

27 septembre 1940
Le Japon, l'Allemagne et l'Italie signent le pacte tripartite. Il prévoit un partage du monde et une assistance dans le cas où l'un des trois pays serait agressé.

3 octobre 1940
Le premier statut des Juifs est publié : « Est Juive toute personne issue de trois grands-parents de race juive ou de deux grands-parents de la même race, si son conjoint lui-même est Juif. » Mais la race juive n'est pas définie dans ce statut.

La bataille d'Angleterre

En juillet 1940, les Britanniques restent seuls en guerre. La situation est difficile, mais le Premier ministre Winston Churchill parvient à galvaniser son peuple et rejette toute négociation avec Hitler. Ce dernier ordonne donc l'invasion des îles Britanniques, mais il lui faut d'abord obtenir la maîtrise du ciel au-dessus de la Manche.

La Luftwaffe entre en scène

Le 2 août, Hitler décide d'intensifier la bataille au-dessus de l'Angleterre. Les Allemands concentrent alors près de 3 000 avions sur les aérodromes français et belges. La première grande offensive de la Luftwaffe* (le jour de l'Aigle) a lieu le 13 août. Les Allemands perdent 45 avions, contre 13 du côté des Britanniques. Le 15 août, la Luftwaffe fait 1 790 sorties, perd 75 avions quand les Anglais en perdent 34. Tout au long du mois d'août, la Royal* Air Force (RAF) doit faire face à des attaques allemandes quotidiennes. Des deux côtés, les pertes sont importantes. Si la RAF est à bout de souffle (plus de 20 appareils disparaissent par jour), les équipages allemands paient aussi un lourd tribut.

LE HEINKEL 111

C'est le bombardier de la bataille d'Angleterre. Rapide et robuste, mais faiblement armé, il est une proie facile pour les Spitfire et les Hurricane britanniques. Le Heinkel 111 a aussi servi en Yougoslavie, en Grèce puis en Russie.

LE SPITFIRE

Le Supermarine Spitfire (cracheur de feu) est le plus célèbre avion de chasse britannique de la Seconde Guerre mondiale. C'est l'appareil qui a permis de gagner la bataille d'Angleterre. Pouvant atteindre plus de 650 km/h, armé de deux canons et de quatre mitrailleuses, cet avion sera utilisé sur tous les fronts.

Londres visé

En représailles d'un raid aérien anglais contre Berlin, Hitler décide de frapper les civils. Le 7 septembre, les Londoniens sont directement attaqués : le Blitz* allemand commence, il a pour but de terroriser les civils anglais et de les démoraliser. En septembre 1940, les Allemands larguent 7 000 tonnes de bombes sur Londres, tuent 7 000 personnes et en blessent 10 000 autres. Le 15 septembre, ils espèrent lancer le coup de grâce : 250 bombardiers et 700 chasseurs sont engagés. Mais grâce aux radars, qui permettent de détecter les formations ennemies, et aux rapides Spitfire, la Luftwaffe n'obtient pas la victoire espérée.

octobre 1940
Charles Chaplin (Charlot) remporte un grand succès aux États-Unis avec son film Le Dictateur. *Il y incarne les rôles d'un Juif et d'un dictateur ressemblant énormément à Hitler. L'œuvre est un véritable hymne à la paix.*

16 octobre 1940
À Varsovie, les Allemands créent le ghetto, un quartier de la ville entouré de murs où tous les Juifs sont concentrés. Le 15 novembre, le ghetto, avec ses 400 000 habitants, est isolé du reste de la ville.

Les Britanniques sous le Blitz

À partir du 17 septembre 1940, Hitler ordonne un bombardement systématique des régions les plus peuplées. Pendant la nuit du 15 octobre, 380 tonnes de bombes classiques et 70 000 bombes incendiaires sont larguées sur Londres. Un mois après, d'autres grandes villes sont visées : Birmingham, Southampton, Plymouth, Glasgow... Coventry est totalement détruit le 14 novembre 1940. Dans la nuit du 10 au 11 mai 1941, un raid massif sur Londres provoque 2 000 incendies et fait 3 000 victimes. Puis, fin mai, les unités de la Luftwaffe sont réquisitionnées pour préparer l'invasion de l'URSS*. Les raids sur l'Angleterre sont suspendus. Entre juillet 1940 et mai 1941, ces derniers auront fait 43 000 morts et 250 000 blessés. Et sur les 1 000 aviateurs de la RAF engagés, 400 sont morts au combat.

Les pilotes anglais ont réussi leur mission : Hitler a renoncé à envahir la Grande-Bretagne.

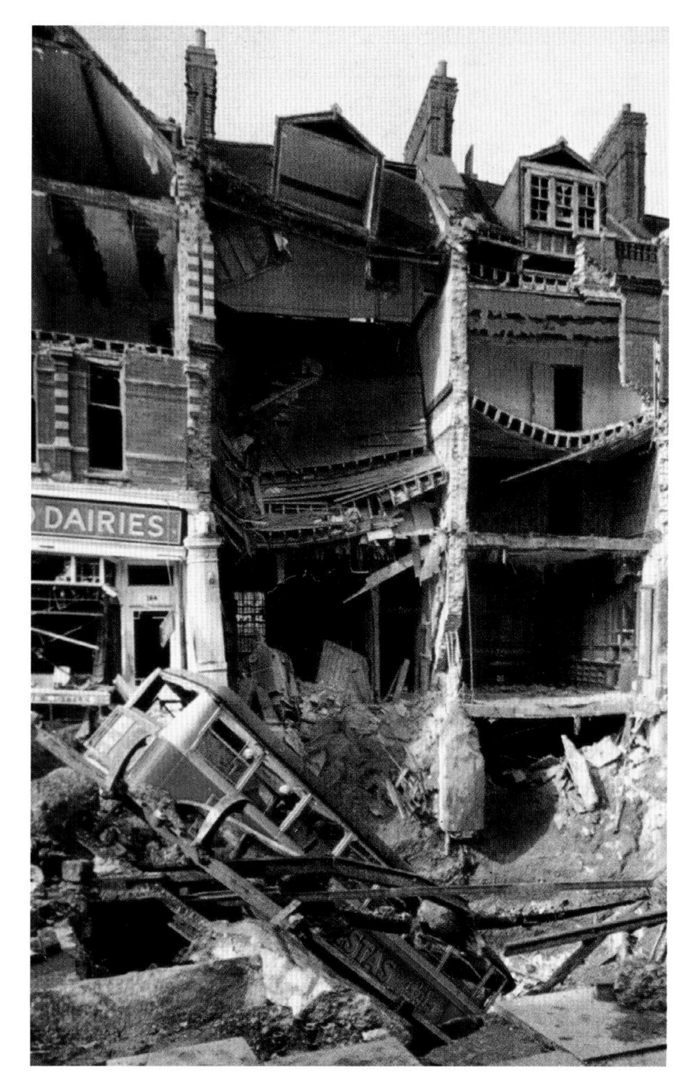

La plupart des grandes villes de Grande-Bretagne subissent le Blitz, et des milliers de civils périssent dans l'effondrement de leurs maisons. Ici, une rue de Londres après le bombardement du 10 octobre 1940.

Des bombardiers allemands Heinkel 111, en formation, sont en route pour un raid au-dessus de la Grande-Bretagne.

24 octobre 1940
Le maréchal Pétain et Adolf Hitler se rencontrent dans la petite ville de Montoire. Leur poignée de main rend alors officielle la collaboration entre la France et l'Allemagne.

28 octobre 1940
L'Italie attaque la Grèce. Les soldats grecs, en infériorité numérique, infligent de lourdes pertes aux troupes de Mussolini, qui battent en retraite en moins de deux semaines.

L'État français

Le 10 juillet 1940, la France vaincue se donne un nouveau régime politique. Le Sénat et la Chambre des députés, réunis à Vichy, donnent tous les pouvoirs au maréchal Pétain pour promulguer une nouvelle constitution garantissant « les droits du Travail, de la Famille et de la Patrie ». C'est le décès de la IIIe République et la naissance de l'État français.

LE MARÉCHAL PÉTAIN (1856-1951)

À 84 ans, le héros de Verdun devient président du Conseil le 16 juin 1940. Dès le 17, il demande à l'armée française de cesser le combat. Chef de l'État français à partir du 10 juillet, il profite de la défaite et de l'occupation pour installer un régime politique autoritaire à l'opposé des traditions républicaines. Espérant obtenir des compromis avec l'occupant, Pétain et ses chefs de gouvernement – Pierre Laval puis l'amiral Darlan – acceptent de collaborer avec les nazis. Rien n'est concédé par les Allemands, et c'est pourtant avec zèle que le régime de Vichy se lance dans la chasse aux Juifs et aux résistants.

« Travail, Famille, Patrie »

Le maréchal Pétain, chef de l'État, décide de redresser la France intellectuellement et moralement. Il met en place la Révolution nationale renouant avec les valeurs traditionnelles du travail, de la famille et de la patrie, garantes de « la cohésion et de la grandeur de la Nation française ». Le régime, basé à Vichy, condamne les principes républicains énoncés dans la devise « Liberté, Égalité, Fraternité ». Les individus ne sont dès lors plus libres ni égaux en droit. En mettant en avant le maréchal et le travail, et en prônant aussi le retour à la terre, cette vision de la société se rapproche de l'idéologie fasciste*.

fin 1940
Londres est la capitale de l'Europe libre et accueille les gouvernements en exil comme ceux de Pologne, de Tchécoslovaquie, de Norvège, de Belgique, des Pays-Bas – avec la reine Wilhelmine –, ainsi que la grande duchesse Charlotte de Luxembourg.

janvier 1941
Le compositeur français Messiaen, prisonnier de guerre en Pologne, donne en concert une œuvre écrite derrière les barbelés : Quatuor pour la fin du temps.

Un régime autoritaire et raciste

L'État français supprime le suffrage universel et interdit toute opposition politique. Les syndicats sont dissous et la presse est étroitement surveillée. Le "redressement national" requiert l'exclusion des éléments de "l'anti-France". On dissout ainsi les loges franc-maçonnes et on arrête en masse les communistes. Le régime s'oriente aussi vers une exclusion raciale : les naturalisations accordées depuis 1927 sont révisées, et surtout un statut sur les Juifs est promulgué dès le 3 octobre 1940. Ils deviennent alors des citoyens de seconde zone à qui l'on retire progressivement tous les droits.

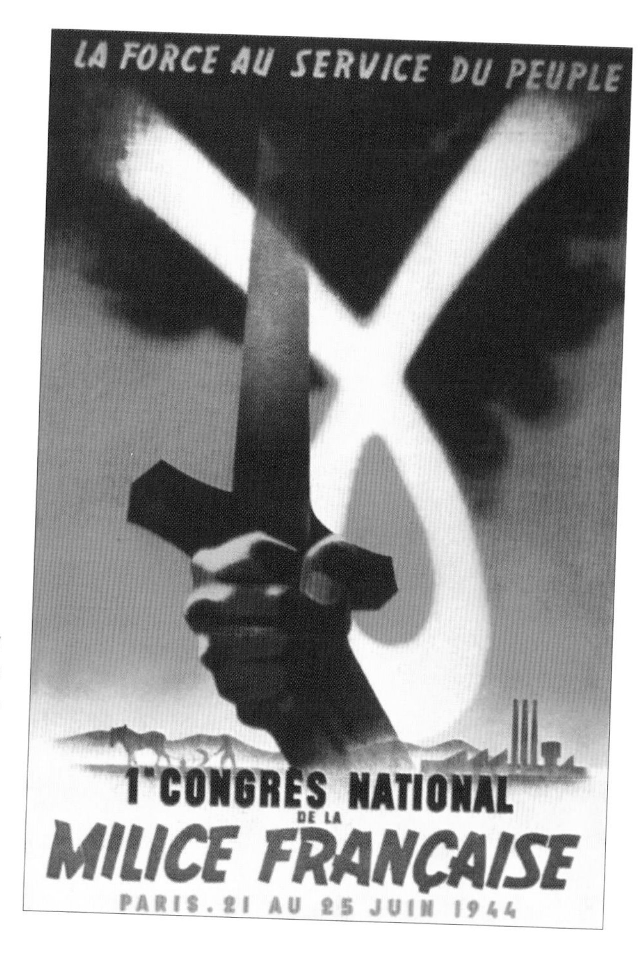

La Milice française

Créée en janvier 1943 et placée sous les ordres de Joseph Darnand pour maintenir l'ordre en France, la Milice représente le dernier pas de Vichy vers la collaboration totale avec les nazis. Les miliciens traquent les résistants et les Juifs, et se rendent coupables d'exécutions sommaires et de tortures.

Une nouvelle jeunesse

Une grande importance est accordée à la jeunesse qu'il faut modeler pour la faire "penser juste et obéir". Diverses organisations sont ainsi créées dès 1940 dans la zone libre. Les Compagnons de France regroupent des jeunes de 15 à 20 ans destinés à former l'avant-garde de la Révolution nationale. Pour leur redonner le goût du travail et l'amour de la patrie, on leur propose de participer à des besognes d'intérêt collectif (travaux agricoles, constructions de routes...). Les garçons de 20 ans sont également mobilisés pendant huit mois dans une sorte de service militaire obligatoire : ce sont les Chantiers de la Jeunesse.

mars 1941

Les troupes allemandes pénètrent en Bulgarie avec l'autorisation du gouvernement de Sofia. L'URSS condamne cette invasion, la Grande-Bretagne rompt ses relations diplomatiques avec la Bulgarie.*

11 mars 1941

La loi sur le prêt-bail est votée par le congrès des États-Unis. Elle autorise le président Roosevelt à vendre, louer ou échanger du matériel de guerre aux pays dont la défense est vitale pour les intérêts américains. C'est un premier pas vers la guerre.

Soldats et uniformes

De 1939 à 1945, sur les fronts d'Europe, d'Afrique ou d'Asie, dans le désert ou les jungles tropicales, les nations en guerre ont des uniformes reconnaissables notamment grâce à leur couleur et à leur casque.

Le fantassin allemand
La tenue de campagne allemande de 1940 est d'une couleur *feldgrau*, vert-de-gris en français. Elle allie tradition militaire allemande et confort pour le soldat. Le casque d'acier qui date de 1916 a été modifié en 1935.

Le "poilu" de 1940
Depuis les années 1920, le soldat français porte une tenue kaki qui remplace le bleu horizon de la Première Guerre mondiale. Particulièrement chaud l'été et ne protégeant pas du froid l'hiver, cet uniforme est lourd et inconfortable. Le casque Adrian est celui de 1915 modifié à la fin des années 1920.

Le soldat belge
Il conserve la silhouette française avec le casque Adrian sur lequel est apposé le Lion royal, mais la couleur vert kaki de l'uniforme est typiquement anglaise.

Le "rat du désert" anglais
Dans le désert, les Britanniques ont adopté la tenue kaki clair. Le short et les chaussettes sont devenus célèbres grâce aux hommes de la 8e armée du général Montgomery. Ces "rats du désert" combattent l'Afrikakorps* du général Rommel.

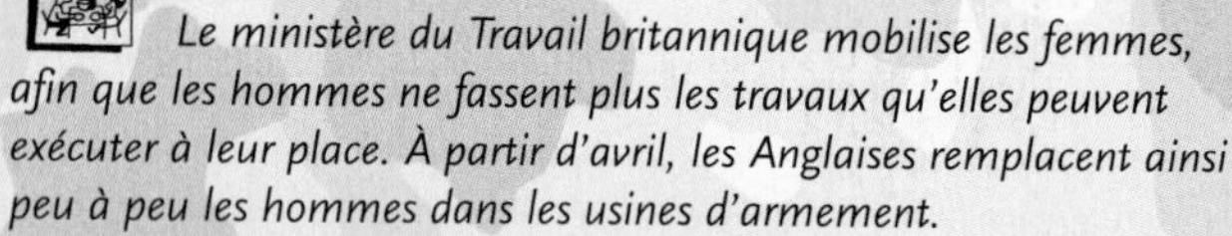

mars 1941
Le ministère du Travail britannique mobilise les femmes, afin que les hommes ne fassent plus les travaux qu'elles peuvent exécuter à leur place. À partir d'avril, les Anglaises remplacent ainsi peu à peu les hommes dans les usines d'armement.

20 mai 1941
Après l'invasion allemande de la Yougoslavie en avril, les troupes du Reich attaquent la Crète et chassent les unités britanniques qui défendaient l'île. L'Europe entière est alors soumise aux Allemands.

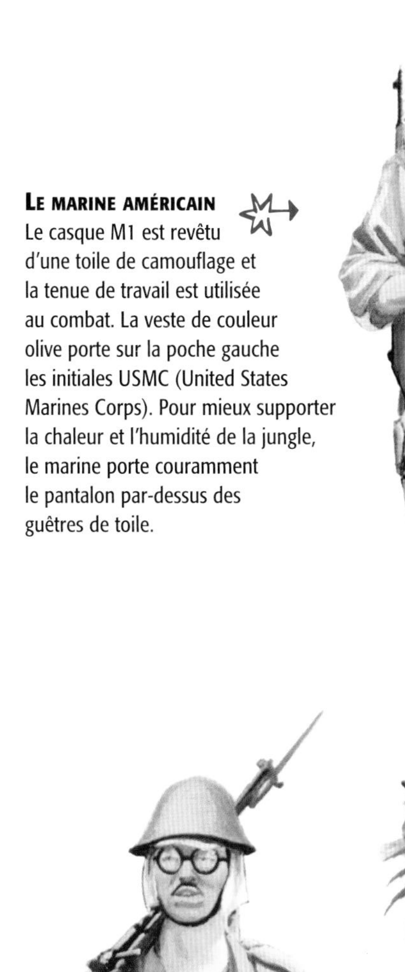

Le marine américain

Le casque M1 est revêtu d'une toile de camouflage et la tenue de travail est utilisée au combat. La veste de couleur olive porte sur la poche gauche les initiales USMC (United States Marines Corps). Pour mieux supporter la chaleur et l'humidité de la jungle, le marine porte couramment le pantalon par-dessus des guêtres de toile.

Le soldat russe

Le Soviétique porte un manteau (ou capote) dont les pattes du col indiquent à la fois l'arme et le grade. Son équipement se compose d'un ceinturon soutenant des cartouchières, et d'un havresac, un sac de toile kaki. La mauvaise qualité des textiles et des cuirs produits en URSS* fait que les soldats portent souvent des uniformes dépareillés, parfois avec des éléments de l'armée allemande, comme les bottes.

Le soldat japonais

Le Japonais porte généralement le casque par-dessus une casquette de campagne avec couvre-nuque pour se protéger du soleil. La tenue est kaki jaune pour les troupes stationnées en Chine et sur le continent, et kaki clair pour celles opérant dans les zones tropicales.

Le bersaglier italien

Soldat de l'infanterie légère, le bersaglier est reconnaissable au plumet vert-noir (plumes de coq) porté sur le chapeau traditionnel de cuir ou sur le casque modèle 1933.

juin 1941

La Wehrmacht et l'armée roumaine envahissent l'Union soviétique le 22 juin. C'est le début de l'opération Barbarossa. La Hongrie et la Finlande entrent également en guerre contre l'URSS. Mussolini envoie aussi une division combattre sur le front de l'Est.*

29 juin 1941

Staline appelle les populations occupées par les Allemands à engager une guerre de partisans à l'arrière du front. En Yougoslavie, Joseph Tito, chef du parti communiste, dirige le soulèvement populaire contre les Italiens et les Allemands. Il forme une armée de partisans.*

La bataille de l'Atlantique

Seule en guerre, la Grande-Bretagne est dépendante de l'aide américaine en matériel et en matières premières. Or les routes maritimes entre l'Amérique et les îles Britanniques sont quadrillées par les sous-marins allemands...

Atlantique sud, 1941. Un navire anglais largue des grenades sous-marines pour détruire un U-Boot immergé.

L'Atlantique, un champ de bataille

Fin 1939, les Alliés ont perdu dans l'Atlantique 750 000 tonnes de navires marchands, coulés par les bâtiments de guerre, les mines magnétiques et les sous-marins ennemis. En 1940, la Norvège est conquise, puis la France vaincue : la Royal* Navy perd ses alliés dans l'Atlantique et concentre ses forces dans la Manche au cas où l'Allemagne envahirait la Grande-Bretagne. La Kriegsmarine*, quant à elle, utilise les ports français de Brest, Lorient, Saint-Nazaire... et contrôle ainsi l'Atlantique nord. Mais la perte des puissants cuirassés *Graf von Spee* (décembre 1939) et *Bismarck* (mai 1941) entraîne le déclin de la marine de surface allemande, qui est alors ramenée à l'abri dans les fjords norvégiens. Les U-Boote* continuent cependant de harceler les convois anglais.

Le cuirassé allemand Graf von Spee*, mis en service en 1936, se saborde le 17 décembre 1939 dans l'estuaire du Rio de la Plata (Uruguay), après un engagement avec les croiseurs britanniques* Ajax *et* Exeter*, et le croiseur néo-zélandais* Achilles.

juin-juillet 1941
Les troupes anglaises défont les nationalistes irakiens, puis les forces de Vichy en Syrie et au Liban (voir DVD, chap. 3). Ces victoires permettent à la Grande-Bretagne de consolider ses positions au Moyen-Orient et ses liens maritimes avec son empire indien.

14 août 1941
Winston Churchill et le président Roosevelt se rencontrent au large de Terre-Neuve. Ils proposent une série de principes moraux devant guider les démocraties à garantir une restauration durable de la paix : c'est la charte de l'Atlantique.

LES U-BOOTE

C'est l'amiral allemand Dönitz qui, avant la guerre, a plaidé en faveur d'une production accélérée des sous-marins. Utilisés en groupes et guidés par radio depuis la terre, les U-Boote font des ravages parmi les convois alliés. Ils peuvent à la fois attaquer des grands navires de guerre, des bateaux de commerce, effectuer des opérations de commandos et de renseignements. Ils ont pour atouts une grande vitesse d'immersion et des torpilles qui peuvent atteindre une cible distante de 3 000 m.

Malgré les terribles pertes infligées aux marines alliées, près de 80 % des U-Boote seront détruits et les trois quarts des sous-mariniers allemands mourront au combat.

Les U-Boote, maîtres de l'Atlantique

Pendant le seul mois d'avril 1941, la Luftwaffe* coule 320 000 tonnes de navires, et les U-Boote 250 000 tonnes. Une fois la Luftwaffe envoyée sur le front russe en juin 1941, seuls restent présents dans l'Atlantique les bombardiers à long rayon d'action. Ceux-ci repèrent les bateaux alliés et signalent leur position au poste de commandement allemand de Lorient. Les sous-marins sont alors envoyés en groupe, selon la tactique de la "meute de loups", et font de véritables carnages. En décembre 1941, les États-Unis entrent en guerre, mais refusent de dégarnir leur flotte du Pacifique pour protéger les convois alliés dans l'Atlantique. De ce fait, les U-Boote coulent 6,5 millions de tonnes de navires en 1942, et 500 000 tonnes en moyenne par mois début 1943. Inutile de dire que les liaisons entre l'Amérique du Nord et la Grande-Bretagne sont gravement compromises.

LES CONVOIS ALLIÉS

Les navires marchands sont placés au centre d'un dispositif de bâtiments de guerre équipés de radars. Ces derniers détectent les sous-marins immergés distants de moins de 1 000 m. À partir de 1943, quand les Alliés auront construit suffisamment de navires d'escorte, dont des porte-avions, les sous-marins allemands seront plus vulnérables et les convois moins attaqués.

Ces destroyers anglais partent à la chasse aux sous-marins allemands.

Les Alliés prennent le dessus

Au printemps 1943, les Alliés réorganisent leurs convois et augmentent le nombre de navires d'escorte. Le Brésil étant entré en guerre, sa marine patrouille dans l'Atlantique sud. De plus, de nouveaux radars sont mis au point et des avions à long rayon d'action entrent en scène. Tous ces éléments permettent de réduire le nombre de bateaux détruits. En mai 1943, les Alliés coulent 40 sous-marins. À la fin de la guerre, la Royal Navy a perdu 3 000 bâtiments et ses alliés 2 000, soit 20 millions de tonnes ; 45 000 marins alliés sont morts au combat dont 30 000 Britanniques. Malgré ces lourdes pertes, ce sont les Alliés qui remportent la bataille de l'Atlantique.

août 1941
Pour faire face aux attentats de la résistance communiste contre ses soldats, la Wehrmacht prévoit que pour chaque Allemand tué, des Français emprisonnés seront fusillés. De son côté, Vichy instaure un tribunal spécial pour réprimer les actions communistes.*

1er septembre 1941
La radio londonienne BBC commence à diffuser ses mystérieux "messages personnels". Ils permettront de transmettre jusqu'à la fin de la guerre toutes sortes de messages : confirmation d'une mission, annonce d'une opération aérienne...

La guerre du désert

Le 10 juin 1940, l'entrée en guerre de l'Italie contre la France et la Grande-Bretagne constitue une menace pour les positions des Alliés en Afrique et dans le Bassin méditerranéen. En septembre 1940, à partir de leur colonie libyenne, les Italiens engagent les hostilités contre les Anglais en Égypte. C'est le début de la guerre du désert.

ERWIN ROMMEL (1891-1944)

Brillant chef de guerre, spécialiste des blindés, il prend part à la campagne de France puis à la guerre du désert. En juin 1942, il est promu maréchal par Hitler en récompense de ses exploits. En mars 1943, il rejoint la France pour organiser sa défense contre le futur débarquement. Impliqué dans le complot contre Hitler en juillet 1944, il est contraint au suicide.

Rommel arrive en Afrique

Début janvier 1941, les Britanniques repoussent les Italiens jusqu'à Tobrouk et El-Agheila, et font plus de 130 000 prisonniers. C'est alors que l'Italie reçoit l'aide de l'Afrikakorps* du général Rommel qui prend l'offensive en février. Le 4 avril, Benghazi tombe aux mains des Allemands. La garnison australienne de Tobrouk résiste encore, mais les troupes britanniques reculent jusqu'en Égypte. En novembre 1941, grâce à des renforts, elles reprennent l'offensive. La garnison de Tobrouk, toujours assiégée, est reprise en décembre après de violents combats. Le 6 janvier, El-Agheila est également libéré. Rommel, qui a perdu plus de 24 000 soldats et des centaines de chars, décide de se replier dans la région de Tripoli.

Le général britannique Bernard Montgomery (1887-1976) mène la 8e armée de El-Alamein à Tunis. Ce militaire prudent est aimé de ses hommes.

De Bir Hakeim à El-Alamein

Le 21 janvier 1942, Rommel reçoit des renforts de chars et fait alors mouvement vers l'est. Malgré la défense héroïque des Français libres à Bir Hakeim, Allemands et Italiens reprennent Tobrouk le 21 juin. Encore une fois, les Anglais se replient vers l'Égypte. En juillet, une première bataille a lieu à El-Alamein où les Britanniques arrêtent les Allemands qui ne sont plus qu'à 160 km d'Alexandrie. Sans ravitaillement en nourriture ni en eau, et dans des conditions climatiques extrêmes, les hommes des deux camps sont épuisés.

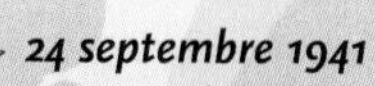

24 septembre 1941
Le général de Gaulle constitue le Comité national français, qui a pour but de défendre les intérêts de la France en guerre. C'est une sorte de gouvernement français en exil.

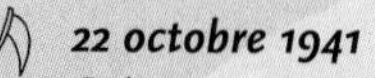

22 octobre 1941
Suite aux attentats contre 2 officiers allemands à Nantes et à Bordeaux, 98 otages sont fusillés dont 27 à Châteaubriand, 16 à Nantes, 5 au Mont Valérien – un fort près de Paris –, et 50 à Souges, près de Bordeaux.

 Victoire anglaise à El-Alamein

Le 23 octobre 1942, en supériorité numérique et matérielle, les Britanniques repassent à l'offensive à El-Alamein et font des milliers de prisonniers dans les rangs allemands et italiens. Le maréchal Rommel est alors dans une situation désespérée : à l'est, la 8e armée britannique ne cesse de recevoir des renforts et poursuit sa progression vers l'ouest, alors qu'en Algérie et au Maroc, les Alliés débarquent.

Ces soldats anglais tirent à la mitrailleuse lourde lors d'un combat dans le désert libyen.

LA GUERRE DU DÉSERT

Dans cette guerre de mouvement, tout repose sur les manœuvres des blindés. Le désert n'offre pas vraiment d'obstacle naturel ni de position facilement défendable. Chacun à leur tour, les belligérants prennent donc l'offensive et parcourent de vastes étendues. La progression se fait dans des situations véritablement extrêmes : les nuages de sable réduisent la visibilité et encrassent les machines, les températures élevées le jour et glaciales la nuit épuisent les soldats. Dans de telles conditions, il faut des litres d'eau par jour. Mais sur des pistes ensablées, le ravitaillement est difficile.

Ce Panzer passe non loin de chars anglais en train de brûler.

Les forces de l'Axe chassées d'Afrique

Après une terrible campagne, les Anglo-Américains et les Français libèrent la Tunisie en mai 1943. Les Allemands et les Italiens sont chassés d'Afrique. Ces victoires en Afrique du Nord surviennent en même temps que la défaite de Stalingrad *(voir p. 48-49)*. Cette période de novembre 1942 à mai 1943 constitue un tournant dans l'histoire de la guerre : désormais, les forces de l'Axe* ne vont cesser de reculer.

Des fantassins allemands avancent difficilement au milieu des dunes de sable.

novembre 1941

Les armées allemandes conquièrent la Crimée et assiègent Leningrad. Le 16 novembre, une grande offensive vise à prendre Moscou. Elle est arrêtée en décembre dans les faubourgs de la capitale russe. La guerre éclair en Russie a échoué.

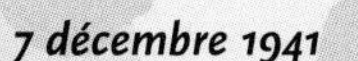

7 décembre 1941

Le décret Nacht und Nebel ("nuit et brouillard") est signé par le général Keitel. Il prévoit la déportation en Allemagne des résistants ne pouvant être condamnés à mort rapidement par les tribunaux militaires en France, en Belgique, aux Pays-Bas et en Norvège.

L'invasion de l'URSS

Malgré le pacte germano-soviétique de non-agression, Hitler part en "croisade" le 22 juin 1941 contre la Russie communiste. Il pense rééditer la guerre éclair, mais l'offensive va s'enliser dans l'immensité russe et engloutir la plus grande partie de l'effort de guerre allemand.

Une progression fulgurante

En quelques jours, la Wehrmacht* pénètre sur les immenses territoires d'Ukraine et de Biélorussie avec pour objectifs Kiev, Leningrad et Moscou. Au total, près de 3,5 millions d'Allemands et de soldats alliés au Reich*, 10 000 engins blindés et 5 000 avions prennent part à la plus grande offensive de l'histoire. Staline ne veut pas croire à une agression allemande. Les 3 millions de Russes mobilisés n'y sont absolument pas préparés. Sans ordre précis, beaucoup meurent au combat ou sont faits prisonniers. En trois semaines, l'armée allemande pénètre de plus de 1 000 km en URSS*.

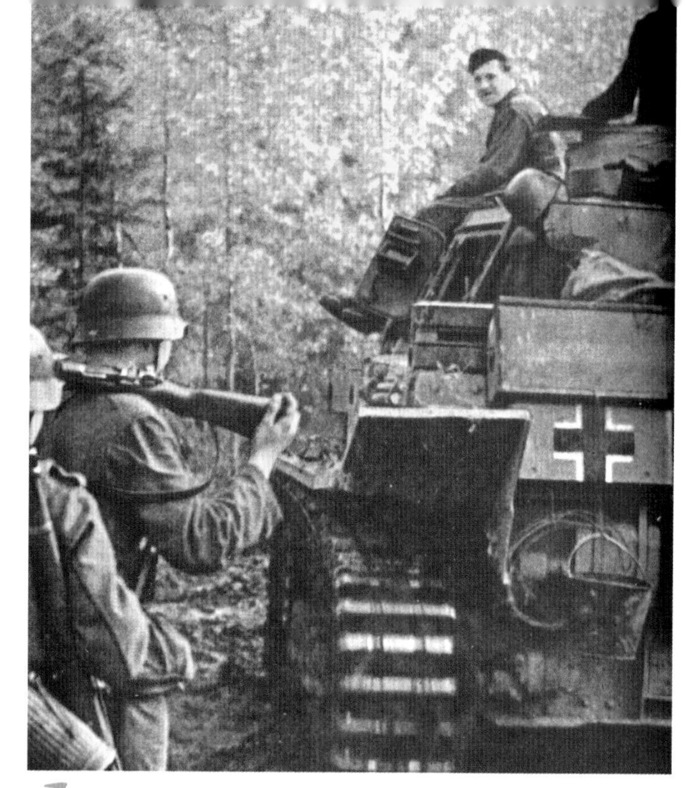

Le matériel de guerre allemand se révèle, au début, supérieur à celui des Soviétiques.

Une colonne de prisonniers de guerre soviétiques au début de l'offensive allemande pendant l'été 1941.

Une guerre sans pitié

Considérés par les Allemands comme des sous-hommes pour lesquels les lois de la guerre ne s'appliquent pas, les prisonniers soviétiques sont systématiquement maltraités. Mal nourris, pas soignés, ils sont souvent envoyés dans des camps de concentration. Sur les 5 millions de prisonniers russes que les Allemands détiendront, plus de 3 millions mourront. Les populations civiles sont aussi soumises aux mauvais traitements des nazis : la Wehrmacht n'hésite pas à tuer les Juifs et les membres du parti communiste, mais également les hommes, les femmes, les enfants et les vieillards si l'ordre ne règne pas dans les territoires conquis.

Une situation désastreuse

À l'automne, les Allemands parviennent à quelques dizaines de kilomètres de Moscou et encerclent Leningrad. La situation des Soviétiques est désastreuse. L'Ukraine, grenier à blé de l'URSS, les États baltes, le nord de la Crimée et une grande partie des industries minières et sidérurgiques sont aux mains des Allemands. Staline se nomme commandant en chef des armées et décide de défendre Moscou coûte que coûte.

22 décembre 1941
Ouverture de la conférence de Washington entre Roosevelt et Churchill. Cette rencontre se conclut le 1er janvier 1942 par la signature de la charte des Nations unies. Les représentants de 26 pays s'engagent à poursuivre ensemble la guerre contre les puissances de l'Axe.*

24 décembre 1941
L'amiral Muselier rallie à la France Libre l'archipel de Saint-Pierre-et-Miquelon, au large de Terre-Neuve (voir DVD, chap. 4). Les Américains sont furieux de ce coup de force à quelques kilomètres de leurs côtes, car il va à l'encontre de leurs accords passés avec Vichy.

Malgré les tirs de barrage de l'artillerie allemande, les fantassins soviétiques se lancent à l'assaut, baïonnette au canon.

Des soldats soviétiques en progression dans un village.

Une guerre d'usure

À la fin de l'année 1941, le front s'étend sur plus de 3 000 km. Il apparaît que la guerre sera longue et difficile. Les Allemands se donnent des objectifs limités pour frapper le cœur économique de la Russie : la Volga – une artère nord-sud importante –, et le Caucase – une porte vers les champs pétroliers de la mer Noire. La guerre éclair est terminée. Elle se transforme en une impitoyable guerre d'usure entre deux nations et deux systèmes politiques dont l'un est condamné à disparaître.

La résistance russe se durcit

Le front se stabilise devant Leningrad, Sébastopol et sur le fleuve Donets. L'Armée rouge reconstitue ses effectifs qui comptent alors plus de 4 millions d'hommes. Des contre-offensives sont menées en décembre 1941. Le 13, la tentative allemande pour encercler Moscou, la capitale soviétique, est repoussée. L'URSS a plié mais n'a pas rompu. Faute de réserves et parce que l'hiver s'annonce, l'armée allemande doit arrêter sa progression.

Juillet 1941 : sous le feu des artilleurs russes, des soldats allemands, en position, attendent l'ordre d'attaquer. 

de décembre 1941 à janvier 1942
Les Japonais occupent les empires coloniaux britannique et hollandais, ainsi que les Philippines. Comme les Allemands en Russie, ils se montrent brutaux et racistes envers les peuples du Sud-Est asiatique.

janvier 1942
Jean Moulin est parachuté dans le sud de la France pour unifier les différents mouvements de résistance autour du général de Gaulle et du Comité national français.

Le 7 décembre 1941, à bord d'un porte-avions japonais, un pilote s'apprête à décoller sous les ovations des mécaniciens et des marins du bord.

Pearl Harbor

Pour poursuivre leur politique d'expansion en Asie, les Japonais veulent neutraliser la puissance américaine dans le Pacifique. Mais c'est un géant qu'ils vont réveiller !

Tora ! Tora ! Tora !

Le 7 décembre 1941, la base aéronavale américaine de Pearl Harbor, dans l'archipel des îles Hawaï, est attaquée sans déclaration de guerre. À 8 h, au cri de « *Tora ! Tora ! Tora !* » (Tigre !), les pilotes japonais bombardent les 94 bâtiments au mouillage. La surprise est totale, et en quelques minutes, c'est l'enfer. Certains navires sont touchés et coulent en entraînant les marins vers la mort. De leur côté, les pilotes américains sont dans l'incapacité de rejoindre leurs appareils en feu. Une seconde vague d'avions renouvelle l'assaut à 8 h 40. C'est une victoire pour le Japon.

Offensives japonaises de décembre 1941 à juin 1942

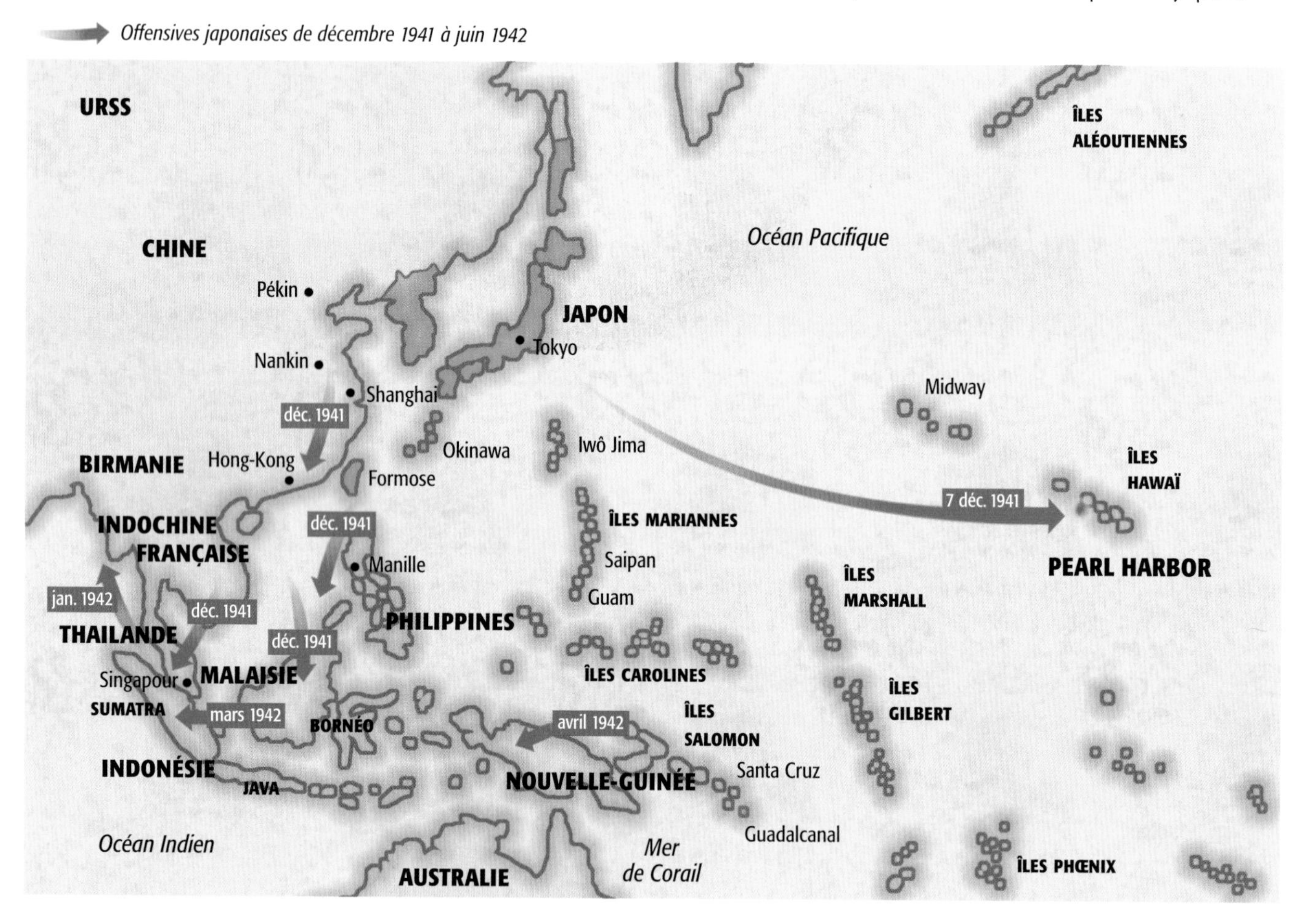

20 janvier 1942
À Wannsee, Reinhardt Heydrich, chef de l'Office central de sécurité du Reich, annonce devant de hauts fonctionnaires nazis qu'il a reçu l'ordre de préparer « la solution finale du problème juif » en Europe, c'est-à-dire l'extermination physique de tous les Juifs.*

février 1942
Les Francs-Tireurs et Partisans français (FTP), organisation armée de la résistance communiste, se dotent d'un comité militaire dirigé par Charles Tillon. Il a pour but de coordonner les attentats contre la Wehrmacht* et d'intensifier la guérilla urbaine.*

Une attaque non décisive

À Washington, une heure après le premier bombardement, les diplomates japonais remettent la déclaration de guerre officielle. Les pertes américaines s'élèvent à 2403 morts et 1178 blessés. Côté matériel, 2 cuirassés sont coulés et 6 autres doivent être réparés, mais le potentiel naval américain n'est pas détruit : 3 porte-avions, 44 contre-torpilleurs, 16 croiseurs et 16 sous-marins sont intacts. Ce « jour d'infamie », selon les termes du président Roosevelt, balaie les dernières réticences des Américains à s'engager dans le conflit. Le cours de la guerre va désormais être modifié...

HIROHITO (1901-1989)

Empereur du Japon depuis 1926, il appelle son règne Showa *: "Paix illuminée". Au début des années 1930, il abandonne la direction des affaires aux militaires dont le régime autoritaire prône une politique expansionniste en Asie. Il suit les événements sans tenter d'empêcher la guerre et, à la fin du conflit, il échappe à un procès pour crimes de guerre (voir p. 73). Mais il doit accepter l'établissement d'une monarchie constitutionnelle et renonçer à son statut de droit divin.*

La base aéronavale de Pearl Harbor sous les bombes des appareils japonais. Le port et les terrains d'aviation sont visés.

Cap sur l'Asie et le Pacifique

Le lendemain, 8 décembre, les Japonais attaquent les Philippines et la Malaisie. Singapour, la Birmanie et l'Indonésie tombent à leur tour sous leur contrôle entre février et juin 1942. Seule la Chine résiste encore. Dès lors, maîtres d'une grande partie du Pacifique, les Japonais exercent une dangereuse pression sur l'empire des Indes et sur l'Australie. Ils ne réussiront pourtant pas à s'imposer face aux États-Unis et à la Grande-Bretagne.

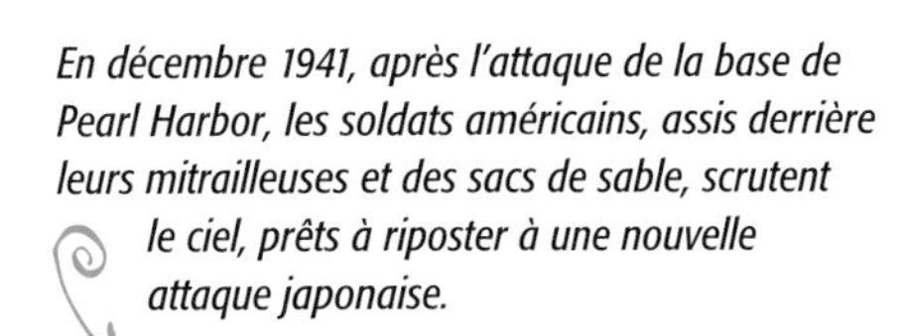

En décembre 1941, après l'attaque de la base de Pearl Harbor, les soldats américains, assis derrière leurs mitrailleuses et des sacs de sable, scrutent le ciel, prêts à riposter à une nouvelle attaque japonaise.

de février à avril 1942

À Riom, dans le Puy-de-Dôme, Léon Blum, Édouard Daladier et le général Gamelin sont accusés par le régime de Vichy d'être responsables de la défaite de 1940. Ils arrivent à renverser la situation à leur avantage, et les Allemands, mécontents, suspendent le procès.

27 mars 1942

Le premier convoi de déportés juifs français quitte la gare du Bourget-Drancy avec 1 146 détenus, et prend la direction d'Auschwitz. Là-bas, le gazage des Juifs a débuté le 3 septembre 1941.

Les difficultés de la vie quotidienne

La vie est particulièrement pénible en France occupée et même en zone dite libre. Se nourrir, se chauffer, voyager ou simplement se rendre à son travail sont de véritables épreuves.

L'occupation allemande

L'uniforme vert-de-gris a investi toute la zone occupée, et de nombreuses familles doivent céder l'une de leurs chambres à l'occupant. Sur tous les édifices publics, les drapeaux français sont remplacés par des drapeaux à croix gammée. Partout présents, les Allemands deviennent des habitués des magasins, des restaurants, du métro... La propagande développe le thème du "bon soldat allemand". Pourtant, dès la fin de l'année 1940, les difficultés de la vie quotidienne s'accroissent, et les Français supportent de plus en plus mal cette occupation toujours plus pesante et répressive.

LES CARTES DE RATIONNEMENT

Ces cartes sont établies pour attribuer à chacun la part correspondant à ses besoins en fonction de son âge et de son activité professionnelle. "E" est la catégorie de cartes destinées aux enfants de moins de 3 ans. "J1" correspond aux enfants de 3 à 6 ans et "J2" à ceux de 6 à 13 ans... Chaque Français a sa carte d'alimentation. Une carte nationale de priorité est accordée aux mères de famille ayant au moins 4 enfants, aux femmes enceintes et aux mères allaitant un nouveau-né.

Titre 607
NOVEMBRE 1942
PAIN - T
CHAQUE TICKET PORTE LE NUMÉRO DE LA QUINZAINE ET LE NOMBRE DE GRAMMES. LES TICKETS NE SONT VALABLES QUE POUR LA QUINZAINE INDIQUÉE.
LA LOI PUNIT DES PEINES LES PLUS GRAVES ET NOTAMMENT DES TRAVAUX FORCÉS A PERPÉTUITÉ LA CONTREFAÇON, LE TRAFIC ET LA MISE EN CIRCULATION IRRÉGULIÈRE DES TITRES D'ALIMENTATION.
...rauder, c'est peut-être augmenter ta ration d'aujourd'hui, c'est sûrement diminuer celle de tous pour demain.

Se nourrir

Le rationnement commence dès le 24 juin 1940, et la ligne de démarcation indique bientôt la frontière au-delà de laquelle certains produits ne sont plus distribués. Les régions du Nord manquent de légumes, de fruits, de vin. Le Sud n'est pas mieux loti : les carences en céréales, en beurre, en pommes de terre sont importantes. La crise économique ne peut seule justifier les rigueurs du rationnement auquel les Français sont soumis. Nul n'est dupe : la pénurie est fortement accentuée par les prélèvements des Allemands.

18 avril 1942
À Vichy, Pierre Laval revient au pouvoir. Un mois plus tard, il déclare souhaiter la victoire de l'Allemagne et œuvrer pour une collaboration totale de la France de Vichy avec le Reich.*

avril 1942
Le général Pohl, dirigeant la section économique de la SS, signe un décret sur l'extermination par le travail des détenus des camps de concentration.*

CE QUE L'ON MANGE

Avant guerre, le citadin mange par mois 3,5 kg de viande, 15 kg de pommes de terre et 800 g de beurre. En 1942, la ration officielle mensuelle passe à 460 g de viande, 4 kg de pommes de terre et 75 g de beurre.

La queue ou le marché noir

Trouver de quoi manger devient une épreuve quotidienne. Dans cette quête, la campagne est mieux lotie que la ville. Les citadins doivent s'habituer aux longues files d'attente. On peut aussi trouver de la nourriture hors des circuits officiels, mais à des prix exorbitants : c'est le marché noir. Les autorités arrêtent de nombreux trafiquants, mais sans enrayer le système. De plus, les risques devenant plus importants, les prix des marchandises "au noir" grimpent en flèche.

Se chauffer

À la faim s'ajoute le froid. L'hiver 1940 est rigoureux et les restrictions ne tardent pas. Le charbon est rationné et soumis à des autorisations d'approvisionnement. Les autorités conseillent à la population de se chauffer le moins possible. Dans chaque foyer, de nouvelles habitudes sont prises : on remet des bonnets de nuit, on empile les gilets sur soi et on réutilise les bassinoires. Maisons et appartements sont calfeutrés pour perdre un minimum de chaleur, les fenêtres restent closes. Faire cuire les aliments devient aussi problématique.

Se déplacer

Face à la pénurie d'essence, Vichy lance une campagne visant à encourager les Français à utiliser des sources d'énergie comme le bois ou le charbon. Sur les automobiles, on installe un nouveau et volumineux mode de propulsion qui transforme le bois ou le charbon en gaz : le gazogène. La mode du vélo s'impose. De nouveaux taxis font leur apparition : les passagers s'installent à l'abri dans un habitacle exigu et sans confort, tracté par un vélo. On assiste aussi au retour des véhicules tirés par des chevaux.

5-6 mai 1942
Sans avertir le général de Gaulle, les Britanniques débarquent à Madagascar, colonie sous contrôle du régime de Vichy. Furieux, le général exige que Madagascar soit restituée au Comité national français.

8 mai 1942
Dans la mer de Corail, lors de la première bataille entre porte-avions, la flotte japonaise subit un échec contre la flotte américaine située à plus de 150 km d'elle. Les troupes impériales ne peuvent s'emparer de Port-Moresby, capitale de la Nouvelle-Guinée.

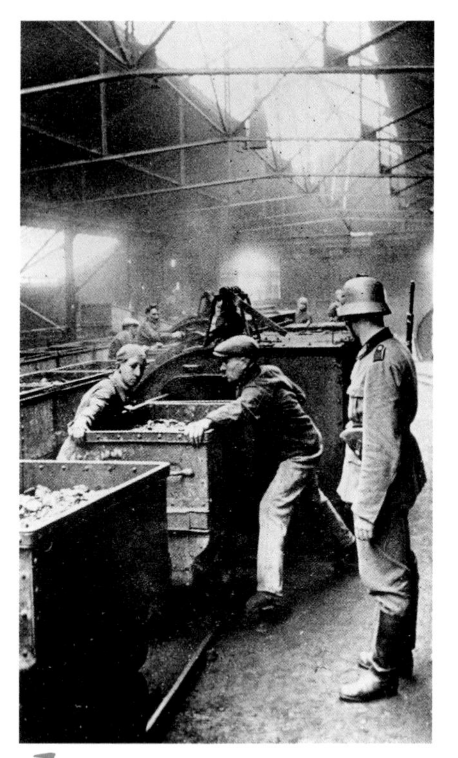

Août 1940 : reprise du travail, sous étroite surveillance allemande, dans une usine de Liévin (Pas-de-Calais).

L'Europe allemande

Au début de 1942, l'Allemagne est au sommet de sa puissance et domine toute l'Europe. Elle redessine la carte du continent à son profit. Pour Hitler, la "race supérieure" allemande est destinée à dominer les autres peuples européens qui, soumis, doivent fournir au Reich* un effort de guerre toujours accru.

L'espace vital allemand

Les territoires conquis en Pologne et en URSS* constituent la grande part de cet espace estimé nécessaire à la prospérité allemande. L'ouest de la Pologne est annexé au Reich, et un "gouvernement général" dans lequel s'installent des colons allemands est formé à l'est. Les Polonais et les autres Slaves sont destinés à devenir les esclaves de leurs nouveaux maîtres. En Ukraine et en Biélorussie, on assiste à la création de "Kommissariats" administrés par les nazis. La population, expulsée des villes, se voit contrainte de vivre dans des baraquements et de travailler dans les champs ou dans les mines. Tout est prévu pour réduire le développement de ses capacités intellectuelles. Des colons allemands s'établissent aussi sur ces terres.

L'Europe en 1942

- Grand Reich allemand
- Pays alliés à l'Allemagne
- Territoires de l'URSS occupés par l'armée allemande
- Pays occupés par l'armée allemande
- Territoires annexés à l'Allemagne
- Pays neutres
- Pays en guerre contre l'Axe*

du 27 mai au 11 juin 1942
À Bir Hakeim, en Libye, les 3 723 Français libres du général Kœnig résistent avec succès aux assauts de trois divisions blindées du général Rommel. Cette victoire a un grand retentissement en France.

29 mai 1942
En France, les Allemands imposent aux Juifs de la zone occupée le port de l'étoile jaune. Cette mesure était déjà obligatoire depuis septembre 1941 dans tout le Reich.

La nouvelle carte de l'Europe

La carte de l'Europe est modifiée en faveur de l'Allemagne et de ses alliés. La Pologne disparaît au profit du Reich. La Yougoslavie est démembrée pour ne former qu'une petite Serbie et une Croatie pro-allemande. D'autres parties de son territoire sont cédées à la Hongrie, à la Bulgarie, à la Roumanie et à l'Italie, qui annexe également l'Albanie. La Hongrie, fidèle à l'Allemagne, obtient des territoires roumains, alors que la Roumanie acquiert certaines régions de l'URSS. La Bulgarie bénéficie aussi de conquêtes en Grèce. L'Alsace et la Moselle, comme le Luxembourg, sont annexées à l'Allemagne en août 1940. Les pays du Nord de l'Europe (Pays-Bas, Flandre et Scandinavie), dont les peuples sont de "races" proches des Allemands, sont promis à une assimilation au Grand Reich.

Un pillage organisé

L'Europe est systématiquement pillée pour "contrer le judéo-bolchevisme", et fournir à la machine de guerre allemande les matières premières et la main-d'œuvre nécessaires. À l'Est, les propriétaires des industries, des mines et des terres agricoles sont expropriés. Dans les pays alliés ou occupés, les usines tournent à l'unique avantage des nazis. L'économie française travaille presque exclusivement pour eux: l'industrie automobile, la production de blé, 25% de la production de viande, l'aluminium et la moitié de la production de fonte partent en Allemagne.

La plupart des travailleurs forcés sont envoyés dans les usines d'armement en Allemagne.

Départ de Paris, gare de l'Est, pour ces jeunes Français désignés pour le STO.*

Travailleurs de force

Dans l'Europe entière, des millions d'hommes et de femmes sont raflés et envoyés en Allemagne pour travailler dans les usines désertées par les Allemands mobilisés. En octobre 1944, on compte près de 8 millions de travailleurs étrangers en Allemagne. Au total, 12 à 14 millions d'Européens (dont plus de 1 million de Français) y travailleront dans des conditions très difficiles, parfois proches de celles des camps de concentration : les journées de travail sont souvent de plus de 12 h, et les contremaîtres allemands n'hésitent pas à frapper pour maintenir les cadences de production.

du 3 au 6 juin 1942
À Midway, la flotte aéronavale japonaise subit de très lourdes pertes. Menée par l'amiral américain Nimitz, cette bataille permet aux États-Unis de bloquer la progression japonaise dans le Pacifique.

22 juin 1942
Face aux exigences de Fritz Sauckel, nazi chargé de recruter la main-d'œuvre européenne pour travailler dans les usines de guerre allemandes, Laval instaure la Relève : quand trois travailleurs français partent en Allemagne, un prisonnier de guerre rentre au pays.

L'horreur des camps

À leur arrivée au pouvoir, les nazis créent des camps de concentration pour y incarcérer les opposants au régime. Avec la guerre, ces camps se multiplient en Europe et les résistants y sont internés. C'est à partir de 1942 que les camps d'extermination voient le jour, afin de mettre à exécution la "solution finale".

Portail d'entrée du camp de concentration de Sachsenhausen, sur lequel sont inscrits ces mots tristement célèbres : « Arbeit macht frei » (Le travail rend libre).

Le 8 mai 1936, Heinrich Himmler (à droite) – dirigeant des forces de police allemandes et responsable du programme d'extermination des Juifs – visite le camp de concentration de Dachau. Il est accompagné de SS chargés de la surveillance des détenus dans les camps.

Les camps de concentration

Dès janvier 1933, les nazis multiplient les arrestations d'opposants communistes, socialistes, syndicalistes ou chrétiens. En mars de cette même année, le premier camp de concentration est créé à Dachau, près de Munich. Avec la guerre, chaque conquête hitlérienne s'accompagne de l'ouverture d'un nouveau camp : Mauthausen en Autriche, Auschwitz en Pologne, Natzweiler en France...

Une main-d'œuvre corvéable

Les détenus des camps de concentration proviennent de toute l'Europe. Des millions d'adversaires politiques et de résistants, mais aussi des criminels, des Juifs et des prisonniers de guerre soviétiques survivent dans des conditions de détention atroces. Sans soins, affamés, ils sont soumis aux travaux forcés, aux expériences "médicales", au sadisme de leurs gardiens SS* mais aussi des kapos*, souvent des détenus de droit commun à qui les Allemands délèguent une partie de leur pouvoir. L'horreur est quotidienne dans ces camps qui deviennent, avec les besoins de l'industrie de guerre allemande, des réserves de main-d'œuvre corvéable à merci.

Arrivée de Juifs hongrois au camp de concentration d'Auschwitz-Birkenau en juin 1944.

16-17 juillet 1942
À Paris, des policiers français arrêtent 13 000 Juifs suivant les instructions des Allemands et de la préfecture de Police. Les prisonniers sont entassés au Vel' d'Hiv' en attendant d'être internés dans le camp de Drancy d'où ils partiront pour Auschwitz.

19 août 1942
Des troupes anglo-canadiennes sont débarquées sur les plages de Dieppe. Les pertes sont très lourdes, mais l'opération apporte un grand nombre d'informations pour la préparation des prochains débarquements en Europe et dans les îles du Pacifique.

Au nom de l'idéologie

L'antisémitisme est au cœur de l'idéologie nazie. Pour Hitler, les Juifs sont responsables de la défaite allemande de 1918 et de la crise économique de la fin des années 1920. En 1935, les lois racistes de Nuremberg font des Juifs allemands des citoyens de second ordre. En Pologne conquise, des ghettos sont créés à Lodz, puis Cracovie, Lublin et Varsovie pour séparer les Juifs des autres Polonais. Dans toute l'Europe, les Juifs sont obligés de porter l'étoile jaune.

SIGNES DISTINCTIFS

Dans les camps, chaque prisonnier porte, cousu sur le côté gauche de sa veste, un triangle de couleur ainsi qu'une bande de tissu sur laquelle figure son matricule. La lettre imprimée sur le triangle indique la nationalité : D (Danois), F (Français), J (Yougoslave), P (Polonais), R (Russe), S (Espagnol).

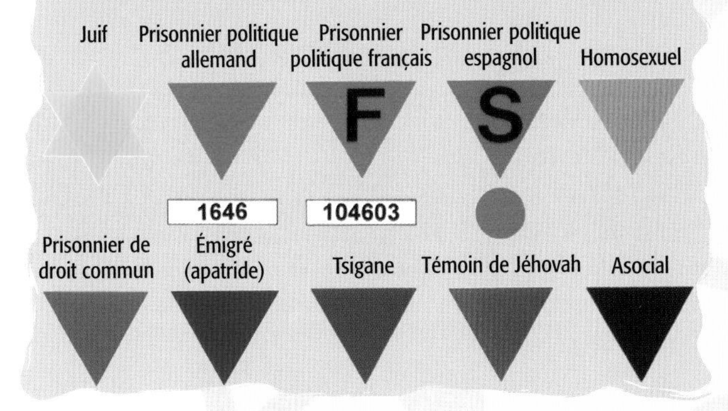

La solution finale

Dès l'été 1941, dans les territoires soviétiques conquis, peuplés de 5 millions de Juifs, les "Einsatzgruppen" (groupes spéciaux composés de SS) assassinent des centaines de milliers d'hommes, de femmes et d'enfants coupables d'être nés juifs. À la conférence de Wannsee, en janvier 1942, les nazis décident d'appliquer la « solution finale à la question juive » à l'ensemble des Juifs d'Europe : tous doivent être exterminés. Leur mise à mort systématique est organisée et planifiée. Après des jours de train dans des conditions inhumaines, ils arrivent jusqu'à des centres d'extermination tristement célèbres : Auschwitz, Chelmno, Maïdanek, Belzec, Treblinka et Sobibor.

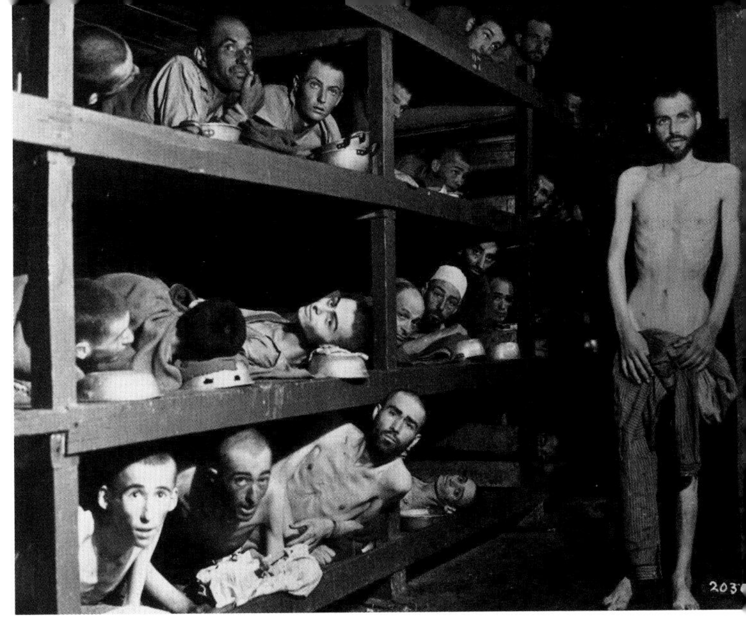

Intérieur d'un baraquement de prisonniers au camp de concentration de Buchenwald.

Les chambres à gaz

À peine descendus des wagons, les Juifs sont exterminés dans des chambres à gaz. On entasse des centaines de personnes à l'intérieur de prétendues douches où les nazis déversent un gaz, le zyklon B. Les victimes meurent asphyxiées. Des fours crématoires sont construits pour brûler les corps. Un tel système permet de tuer des dizaines de milliers de personnes par jour : la mort devient une industrie. Au total, plus de 5,6 millions de Juifs sont tués, dont près de 3 millions dans les centres d'extermination, plus de 1 million dans les ghettos et 1,5 million par les Einsatzgruppen et la Wehrmacht*. Plus de 70 % de la communauté juive d'Europe de 1939 est ainsi assassinée pendant la guerre.

Fours crématoires d'Auschwitz, pris en photo à la libération des camps.

du 26 au 28 août 1942
Sur ordre de René Bousquet, secrétaire général à la police, près de 7 000 Juifs sont arrêtés en zone libre. Ils sont livrés aux Allemands par Vichy et sont déportés vers Auschwitz.

4 novembre 1942
À El-Alamein, Montgomery remporte la victoire contre l'Afrikakorps et les unités italiennes. C'est d'après lui « un tournant capital de la guerre, non seulement sur le théâtre d'opérations africain, mais aussi sans doute dans le conflit entier. »*

Les Forces françaises libres (FFL)

À Londres, en Égypte, en Afrique noire, le général de Gaulle parvient à regrouper des volontaires qui, dès décembre 1940, sont au combat contre les forces de l'Axe*. Leurs exploits à Koufra et à Bir Hakeim vont permettre à la France Libre de s'imposer face au gouvernement de Vichy.

Les premiers hommes des FFL
Les soldats français qui rejoignent le général de Gaulle ne sont que 7 000 en juillet 1940. Les premiers combattants sont déjà en Angleterre depuis la fin de la bataille de Norvège ou depuis Dunkerque. D'autres s'échappent de France pour rejoindre l'Angleterre, ou rallient des possessions britanniques comme Gibraltar, le Nigeria ou Chypre.

Des soldats venus d'ailleurs
Ces quelques milliers d'hommes constituent une unité : la 1re brigade française libre. Légionnaires, chasseurs alpins, fantassins de l'infanterie coloniale, Africains des bataillons de marche et Marocains forment l'embryon des Forces françaises libres. Ils combattent les Italiens dès la fin de 1940 en Libye, aux côtés des Britanniques.

Pierre-Marie Kœnig (1898-1970)

Ancien combattant de la Grande Guerre, il est l'un des premiers officiers à avoir rallié le général de Gaulle. La position de Bir Hakeim lui est confiée par les Britanniques. Il la tiendra jusqu'au bout.

L'exploit de Bir Hakeim
Du 27 mai au 11 juin 1942, à Bir Hakeim (Libye), les Français libres du général Kœnig tiennent tête à Rommel. Grâce à leur courage, ils permettent aux Britanniques de se replier en ordre jusqu'en Égypte. Sous une pluie d'obus, dans l'obscurité, au travers de champs de mines, ils réussissent à rejoindre les troupes anglaises *(voir DVD, chap. 5)*. Cet exploit a un impact important parmi les FFL qui se battent, mais aussi en France où la nouvelle est connue grâce à la presse de la Résistance : pour la première fois depuis juin 1940, des soldats français ont combattu victorieusement les Allemands.

8 novembre 1942
Les Anglo-Américains débarquent en Algérie et au Maroc sous administration vichyste. Présent à Alger, l'amiral Darlan, ancien chef du gouvernement de Vichy, prend la direction de l'AFN et entre en guerre contre l'Axe qui a débarqué des troupes en Tunisie.*

11 novembre 1942
Sous prétexte de protéger le Sud de la France d'une invasion alliée, les Allemands occupent la zone libre. Sur leur ordre, Vichy démobilise son armée le 27 novembre. Sa flotte de guerre basée à Toulon se saborde pour ne pas tomber aux mains des Allemands.

Forces navales françaises libres

Malgré Mers el-Kébir, des marins français rejoignent les Forces navales françaises libres (FNFL). Ils participent, avec les premiers bâtiments arborant la croix de Lorraine, aux convois dans l'Atlantique et aux patrouilles dans la Manche *(voir DVD, chap. 4)*.

Les aviateurs de la France Libre

L'amiral Muselier, commandant en chef des Forces françaises navales et aériennes, forme une marine et une aviation autonomes de la Royal* Navy et de la RAF*. Dès août 1940, des aviateurs français se battent aux côtés des Britanniques lors de la bataille d'Angleterre. Des unités portant le nom de provinces françaises sont formées : Alsace, Bretagne, Lorraine... En 1943, l'escadrille Normandie est envoyée combattre sur le front de l'Est avec les Soviétiques *(voir DVD, chap. 7)*. Des unités de parachutistes sont aussi créées au sein des commandos du Special* Air Service anglais (SAS).

PHILIPPE LECLERC (1902-1947)

Évadé de France en juin 1940, le capitaine de Hauteclocque, qui prend le nom de Leclerc, rejoint Londres. En novembre, il rallie le Gabon à la France Libre, puis est nommé commandant militaire du Tchad par de Gaulle. Là, il mène des raids contre les positions italiennes de Libye et prend l'oasis de Koufra en mars 1941 (voir DVD, chap. 3). Leclerc jure alors de ne déposer les armes que lorsque les couleurs françaises flotteront sur Strasbourg.

Objectif : Normandie !

Un bataillon de fusiliers marins commandos est formé sous les ordres du commandant Kieffer dès 1942. Il participera au débarquement du 6 juin 1944 à Ouistreham *(voir DVD, chap. 8)*.

du 13 au 24 janvier 1943

Roosevelt et Churchill se rencontrent à Casablanca. Ils tentent de réconcilier les généraux français de Gaulle et Giraud qui se disputent la direction des forces françaises. Roosevelt promet à Giraud d'armer l'armée française.

16 janvier 1943

En Yougoslavie, lâchés par les résistants royalistes (tchetniks), les partisans communistes du général Tito font face à une violente offensive allemande. Les oustachis (fascistes* croates) et les nazis font régner la terreur en Serbie, massacrant Juifs, Tsiganes et Serbes.*

La guerre dans le Pacifique

En 1942, la puissance industrielle des États-Unis leur permet d'être présents sur le front nord-africain, d'aider la Grande-Bretagne et l'URSS* et surtout de prendre l'initiative contre le Japon, maître du Sud-Est asiatique et du Pacifique.

Mitrailleur en action dans un Mitsubishi Ki-51, bombardier léger japonais.

Deux victoires aéronavales

C'est dans la mer de Corail *(voir carte p. 32)*, en mai 1942, qu'a lieu une étrange bataille navale. Pour la première fois, le combat est mené par des avions décollant de porte-avions : il n'y a pas d'affrontement direct et aucun navire n'aperçoit le navire de l'autre camp. Les Américains en sortent vainqueurs. Après ce premier échec, les Japonais se replient vers le nord ; mais un mois plus tard, à Midway, 4 de leurs porte-avions sont coulés et leur flotte subit une nouvelle défaite. L'élite des pilotes japonais est décimée. Les amiraux américains, très bien renseignés, ont fait preuve d'imagination et d'esprit de décision, les qualités requises pour gagner une bataille aéronavale.

Navires de guerre, croiseurs et porte-avions américains en partance pour une nouvelle mission dans les eaux du Pacifique.

Le "Tokyo Express"

Les Japonais renouvellent leur offensive et tentent d'établir une base aérienne à Guadalcanal, une île pouvant leur permettre de préparer une offensive contre l'Australie et le sud-ouest du Pacifique. En juillet 1942, 3 000 Japonais y sont envoyés pour construire un aérodrome. Le 7 août, les Américains réussissent leur première opération amphibie : 17 000 marines débarquent sur l'île. Malgré les renforts dépêchés, les Japonais se voient infliger de lourdes pertes. De plus, les Américains sont maîtres du ciel et leurs adversaires ne sont ravitaillés que par des convois maritimes de nuit que les marines ont baptisés "Tokyo Express". Pendant ce temps, les combats se poursuivent pour la suprématie navale et la maîtrise des voies de communication avec l'île.

26 janvier 1943
Les trois grands mouvements de la Résistance française en zone Sud (Combat, Libération et Franc-Tireur) s'unissent. Ils coordonnent leurs actions politiques au sein des Mouvements Unis de la Résistance (MUR) présidés par Jean Moulin.

30 janvier 1943
Pour lutter contre la résistance qui s'organise et dont les actions se multiplient, Pierre Laval crée la Milice française, dirigée par Joseph Darnand. Elle va multiplier les exactions, pourchasser les Juifs et combattre la Résistance.

Dans la guerre du Pacifique, les Américains doivent débarquer beaucoup d'hommes et de matériel sur les plages des îlots et des atolls. Ces débarquements se font grâce à des engins de transport amphibies Alligator, comme ici lors de leur arrivée sur l'île de Guadalcanal.

Des combats sanglants

À terre, la tactique japonaise reste la même : ils lancent sur les lignes américaines des colonnes serrées de fantassins fanatisés, baïonnette au canon, en espérant que le nombre submergera les marines. Mais ces attaques sanglantes, sans cesse renouvelées, ne menacent pas les Américains protégés dans leurs tranchées et soutenus par leur artillerie et leur aviation. Le 12 septembre 1942, 8 000 Japonais attaquent les positions américaines à Bloody Ridge, la "colline sanglante". Ils sont repoussés et comptent plus de 1 200 morts. Le 20 octobre, ils attaquent de nouveau et sont encore refoulés au prix de lourdes pertes.

Première victoire terrestre des Américains

L'offensive navale nippone reprend en octobre puis en novembre 1942. Le 26 octobre, une nouvelle bataille s'engage autour des îles Santa Cruz. Aucun camp n'en sort vainqueur. À la fin du mois de novembre, les Japonais de Guadalcanal se retrouvent isolés, sans nourriture et sans munitions. En décembre, soutenus par un renfort de 60 000 hommes, les Américains reprennent l'offensive contre les 15 000 Japonais encore présents. Ces derniers évacuent l'île le 4 janvier 1943. Chassées des îles Salomon, les troupes japonaises refluent alors vers le nord. Pour les Américains, cette victoire est très précieuse. En six mois d'intenses batailles, près de 30 000 Japonais sont morts à Guadalcanal (contre 1 500 Américains), plus de 60 navires ont été coulés et 800 avions perdus. Pour la fragile industrie de guerre japonaise, ces pertes sont irremplaçables.

Des marines en position tentent d'apercevoir l'ennemi au milieu de la jungle tropicale.

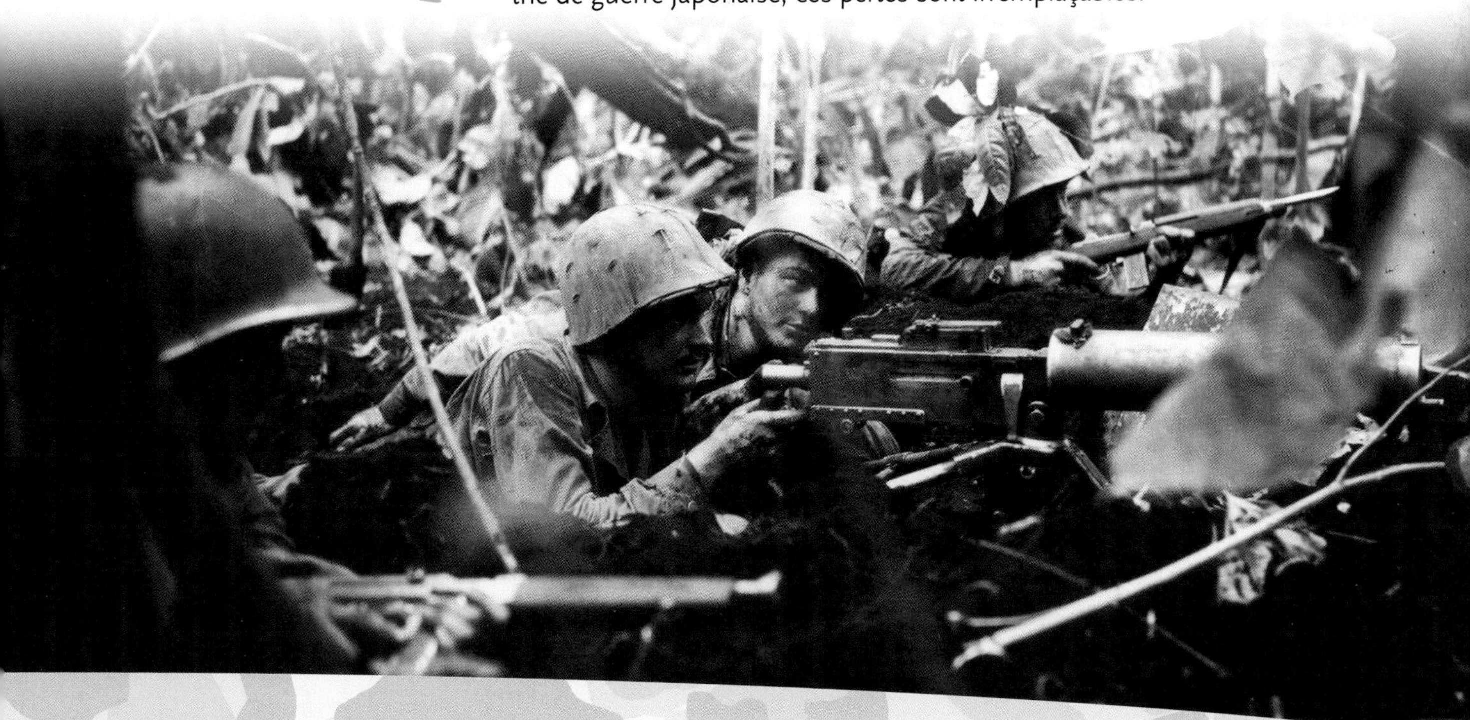

16 février 1943
L'État français promulgue une loi sur le Service du travail obligatoire (STO). Tous les jeunes gens nés en 1920, 1921 et 1922 doivent aller travailler en Allemagne pendant deux ans. Refusant cette "déportation", beaucoup rejoignent les maquis de la Résistance.*

avril 1943
Le Petit Prince *d'Antoine de Saint-Exupéry paraît en langues anglaise et française à New York. Il ne sera publié en France que fin 1945, à titre posthume : le 31 juillet 1944, le commandant de Saint-Exupéry disparaît au large de Marseille à bord de son avion de reconnaissance.*

Le porte-avions, roi du Pacifique

En 1939, la guerre sur mer débute avec de puissantes forces de marine dont les plus beaux éléments sont les cuirassés rapides, fortement blindés et possédant une grande puissance de feu. C'est pourtant le porte-avions qui devient le roi de la bataille navale dans le Pacifique.

Le rôle du porte-avions

Plate-forme d'envol et d'atterrissage pour des avions de tout type, le porte-avions transporte des bombardiers pouvant pilonner la flotte ennemie ou une base terrestre. Grâce à lui, on peut envoyer rapidement une force de combat dans des rayons d'action de 300 à 400 km, et donc soutenir le débarquement de fantassins ou détruire un autre bâtiment de guerre se trouvant hors de portée de canon. Les forces de marine se battent alors par avions interposés à des centaines de kilomètres de distance. Force d'attaque mais aussi de défense, les chasseurs embarqués protègent la flotte alliée. Couler un porte-avions ennemi permet de sortir vainqueur de la bataille !

CHANCE VOUGHT F4-U CORSAIR

Il est considéré comme faisant partie des meilleurs chasseurs américains de la guerre. Il fait des merveilles, et les Japonais le redoutent tant qu'ils l'appellent la "mort sifflante".

Une forteresse flottante

Le porte-avions est aussi un bâtiment de guerre équipé de canons d'une portée de plus de 10 km, et de tourelles de lutte antiaérienne pouvant remplir le ciel d'obus. Cette "forteresse" devient l'élément essentiel des flottes américaines du Pacifique, les autres navires servant d'auxiliaires, de soutien aux opérations terrestres, de protection des convois... Entre fin 1941 et septembre 1945, les Américains construisent 132 porte-avions, alors que les Japonais en fabriquent seulement 23.

GRUMMAN F6F HELLCAT

Cet avion de chasse (ci-dessous) entre en service en août 1943. Solide et facile à piloter, c'est un redoutable appareil embarqué pour les pilotes japonais.

Les avions décollent toujours face au vent.

du 19 avril au 16 mai 1943

Les 70 000 Juifs survivant dans le ghetto de Varsovie se soulèvent contre les Allemands. Leur lutte est acharnée malgré leurs faibles moyens. Ils sont 5 000 à pouvoir s'enfuir. Les rares rescapés sont abattus ou envoyés dans les chambres à gaz de Maïdanek et de Treblinka.

13 mai 1943

Les Alliés sortent vainqueurs de la bataille de Tunisie et font près de 250 000 prisonniers allemands et italiens. L'Axe est chassé d'Afrique. L'ouverture d'un second front en Europe, dans le sud de l'Italie, devient alors possible.*

Une arme chère et complexe

Fabriquer de tels engins de guerre est délicat. Le porte-avions est à la fois un navire et un aérodrome. Sa construction et son entretien nécessitent donc une industrie navale moderne et un personnel instruit : marins qualifiés, spécialistes de l'aéronautique, mécaniciens, pilotes ayant subi une formation spéciale. Cela requiert aussi des avions capables de décoller et d'atterrir sur une distance réduite, moins de 250 m sur les porte-avions de la Seconde Guerre mondiale. Alors que les États-Unis mettent en chantier des dizaines de ces bâtiments, la production japonaise, elle, ne suit pas par manque de matières premières.

DOUGLAS SBD DAUNTLESS

Bombardier et avion de reconnaissance embarqué. À Midway, en juin 1942, les Dauntless coulent 3 porte-avions et en endommagent un quatrième.

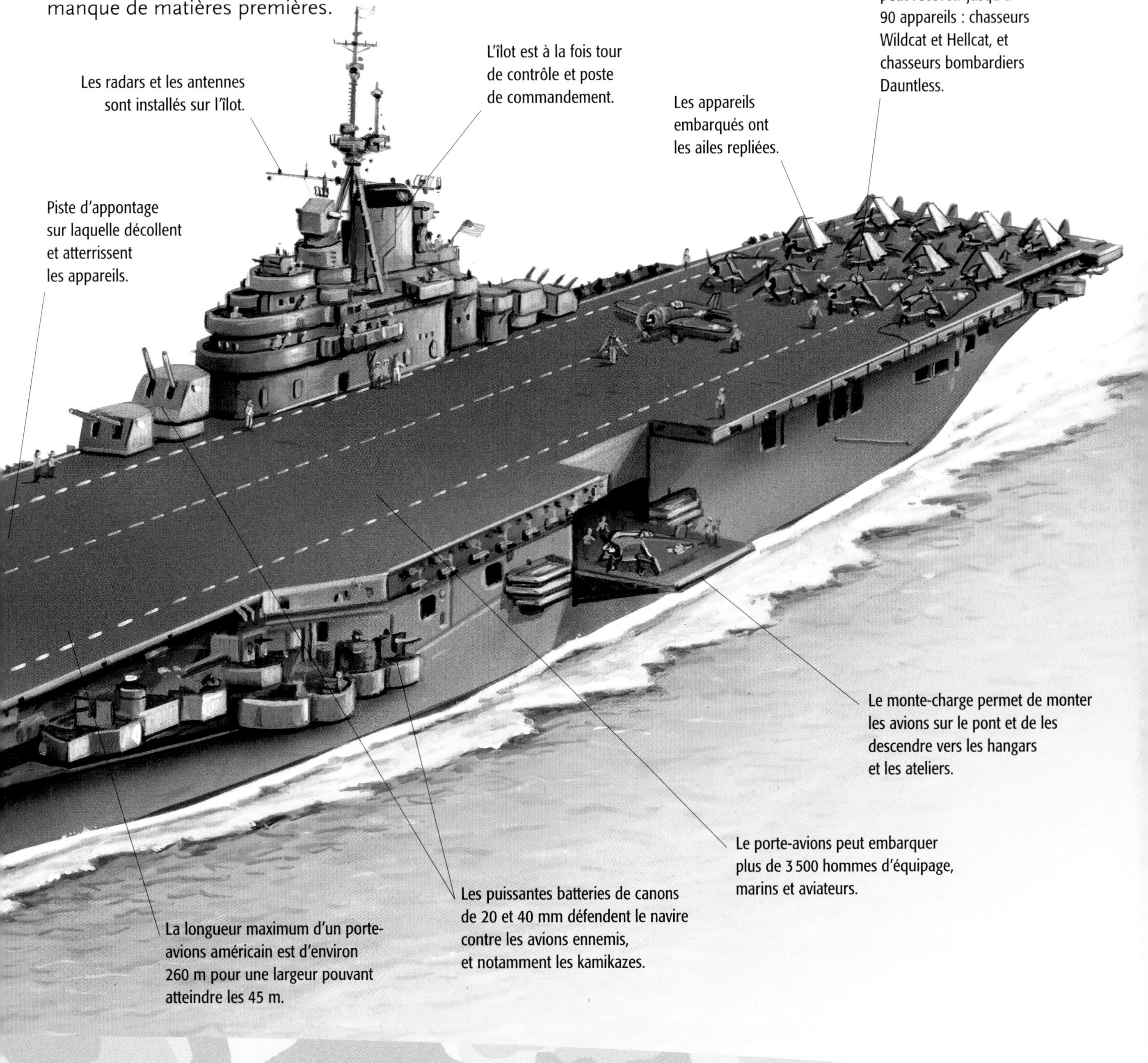

Le porte-avions américain peut recevoir jusqu'à 90 appareils : chasseurs Wildcat et Hellcat, et chasseurs bombardiers Dauntless.

L'îlot est à la fois tour de contrôle et poste de commandement.

Les radars et les antennes sont installés sur l'îlot.

Les appareils embarqués ont les ailes repliées.

Piste d'appontage sur laquelle décollent et atterrissent les appareils.

Le monte-charge permet de monter les avions sur le pont et de les descendre vers les hangars et les ateliers.

Le porte-avions peut embarquer plus de 3 500 hommes d'équipage, marins et aviateurs.

Les puissantes batteries de canons de 20 et 40 mm défendent le navire contre les avions ennemis, et notamment les kamikazes.

La longueur maximum d'un porte-avions américain est d'environ 260 m pour une largeur pouvant atteindre les 45 m.

27 mai 1943
Première réunion à Paris du Conseil national de la Résistance présidé par Jean Moulin. Ce Conseil apporte son soutien au général de Gaulle.

mai 1943
Staline dissout le Komintern (IIIe Internationale communiste), organisation chargée de contrôler les partis communistes étrangers. Cette décision se veut rassurante pour les Alliés, mais elle n'empêchera cependant pas l'URSS de poursuivre son contrôle.*

La Résistance en France

Dès 1940, des hommes et des femmes tentent de faire face à la puissante Wehrmacht* en sabotant des installations militaires et en commettant des attentats contre les forces d'occupation. Les réactions allemandes sont immédiates : ces patriotes sont fusillés. La Résistance comprend alors qu'elle doit passer à une autre forme d'action.

Les organisations de la Résistance

Pour devenir efficaces, les résistants doivent s'organiser. Les premiers mouvements de résistance (Combat, Libération) sont créés en 1941 pour s'opposer aux propagandes de l'occupant et de Vichy, pour mobiliser les Français, mais aussi pour préparer les institutions de la France d'après-guerre. La plupart des mouvements de résistance, en zone occupée comme en zone Sud, sont créés autour d'un journal. Il faut réveiller l'opinion publique en l'informant du déroulement de la guerre. La presse clandestine prend de l'ampleur et parvient à concurrencer la presse favorable à la collaboration. Les réseaux sont des organisations spécialisées dans le renseignement militaire, et dans les évasions de résistants ou d'aviateurs alliés tombés en France lors d'une mission.

La radio émetteur-récepteur, cachée dans une valise, est très importante pour les liaisons entre la Résistance et la Grande-Bretagne. Elle permet de transmettre des informations sur les troupes allemandes.

L'union autour du général de Gaulle

Malgré des divergences politiques, les efforts des résistants, en France comme à Londres, convergent vers l'union des forces qui combattent l'occupant et l'État français. En mai 1943, Jean Moulin, délégué de la France Libre et représentant du général de Gaulle, parvient à créer le Conseil national de la Résistance, dans lequel siègent huit mouvements de résistance, six partis politiques, dont le puissant parti communiste, et deux syndicats. Dorénavant, toute la Résistance intérieure soutient le général de Gaulle comme le chef de la France combattante unifiée.

L'un des rôles de la Résistance est de saboter les voies ferrées pour empêcher l'armée allemande de s'organiser, de recevoir du ravitaillement, des armes et des munitions.

21 juin 1943
Jean Moulin est arrêté à Caluire, dans le Rhône. Il meurt le 8 juillet des suites de ses tortures. Au mois de septembre, c'est le résistant catholique Georges Bidault qui sera choisi comme nouveau président du Conseil national de la Résistance.

juillet 1943
L'une des plus grandes batailles de l'histoire se déroule à Koursk, en URSS. L'offensive allemande est un échec. À la fin de 1943, les Allemands sont partout sur la défensive.

Des résistants FFI se battent aux côtés des soldats de la 2e division blindée du général Leclerc pour libérer Paris, le 25 août 1944.

La Résistance prend de l'ampleur

À partir de 1941, les résistants communistes et leur organisation de Francs-Tireurs et Partisans* (FTP) multiplient sabotages et attentats, risquant en représailles l'exécution d'otages. Au début de 1943, afin d'éviter un départ en Allemagne pour le STO*, les jeunes Français rejoignent les maquis. Sur le plateau des Glières, dans le Vercors, en Auvergne ou en Bretagne, des rassemblements de maquisards tentent de s'organiser et de s'armer afin de pouvoir combattre le jour du débarquement allié. La Résistance s'amplifie malgré la répression. Les nazis arrêtent, torturent, fusillent ou déportent les résistants dans les camps de concentration. Après le débarquement du 6 juin 1944, les Forces françaises de l'intérieur (FFI), regroupant les résistants armés, prennent part à la Libération.

En Côte-d'Or, des jeunes maquisards, insurgés après le débarquement en Normandie, sont arrêtés par les Allemands et vont être fusillés.

LA RÉSISTANCE EN EUROPE

Dans toute l'Europe, des résistants se lèvent pour s'opposer au nazisme. En Yougoslavie et en URSS, la résistance armée des unités de partisans joue un grand rôle. En Pologne, un État clandestin est formé avec une armée de l'intérieur qui organise en août 1944 l'insurrection de Varsovie. En Belgique, aux Pays-Bas, au Danemark ou en Norvège, l'action est plus politique : distribution de tracts et de journaux clandestins, appel à la désobéissance et à la grève. Dans ces pays, des groupes armés se forment : Armée de la Libération, Witte Brigade, Groupe G en Belgique, Milorg en Norvège, Armée secrète au Danemark…*

10 juillet 1943
Les troupes britanniques et américaines des généraux Montgomery et Patton envahissent la Sicile, établissant ainsi un second front en Europe. Les Allemands évacuent l'île un mois plus tard.

25 juillet 1943
Mussolini est renvoyé par le roi d'Italie, et arrêté. Il est remplacé au poste de Premier ministre par le maréchal Bodaglio. Le roi lui-même prend le commandement des forces armées. Les manifestations contre la guerre se multiplient dans le pays.

La bataille de Stalingrad

Alors qu'à la fin de 1942, le monde entier est en guerre, c'est bien en Union soviétique, à Stalingrad, que se joue le tournant du conflit. Les armées soviétique et allemande s'y affrontent dans une gigantesque bataille qui mobilise toutes leurs forces.

8 et 9 septembre 1943
L'Italie capitule sans condition. Le lendemain, les troupes alliées débarquent à Salerne et à Tarente. Les soldats italiens sont désarmés par leurs anciens alliés allemands qui occupent aussitôt Rome.

25 octobre 1943
Les Japonais inaugurent le chemin de fer reliant la Thaïlande et la Birmanie (par la rivière Kwaï), qui doit les aider à envahir l'Inde plus tard. Pour ces travaux, 100 000 Asiatiques et 30 000 prisonniers occidentaux ont été mobilisés ; plus de la moitié en sont morts.

Stalingrad, le symbole

Stalingrad (actuel Volgograd) est une ville stratégique de 600 000 habitants qui s'étend le long de la rive ouest de la Volga *(voir carte p. 67)*. Cet important centre industriel et de communication est situé sur la route du pétrole du Caucase. Son nom signifie "ville de Staline". Elle est le symbole du communisme russe incarné par celui que Hitler veut abattre : Staline.

L'offensive allemande

En août 1942, la 6e armée du général allemand Paulus et la 4e armée blindée lancent une offensive contre Stalingrad. Le 5 septembre, la Wehrmacht* entre dans les faubourgs. Elle pilonne la cité et la réduit à l'état de ruines, que les Russes utilisent comme autant d'abris. Le 13, une furieuse bataille de rue s'engage. Le 22, les Allemands atteignent la Volga, mais ne contrôlent pas toute la ville. Mi-novembre, les premières glaces apparaissent sur le fleuve. La plus grande partie de la cité est aux mains des Allemands, et les Russes se retrouvent coincés dans les décombres entre la Wehrmacht et la Volga. Malgré d'énormes pertes, les Soviétiques réussissent à contenir les Allemands et à gagner du temps pour que les généraux préparent une vaste contre-offensive.

L'agonie de la 6e armée

Le 12 novembre 1942, l'Armée rouge attaque et taille en pièces les Roumains, alliés des Allemands, chargés de protéger la route du ravitaillement. Les 300 000 soldats de Paulus sont encerclés dans la ville, sans nourriture ni munitions. Les ordres du Führer sont de tenir les positions, tandis que le général von Manstein doit briser l'encerclement et porter secours aux troupes de la 6e armée. L'offensive est vaine et l'étau russe se resserre. Le 8 janvier 1943, Paulus refuse un ultimatum soviétique lui proposant de se rendre. Mais deux semaines plus tard, il demande à Hitler l'autorisation de capituler, ce qui lui est refusé. Le 26, une attaque soviétique coupe les lignes allemandes en deux.

La victoire soviétique

Le 2 février 1943, Paulus capitule avec ses 94 000 hommes. Les Allemands dénombrent 140 000 tués. Les Soviétiques ont perdu 200 000 soldats et autant de civils. Les Allemands aventurés jusqu'aux contreforts du Caucase doivent reculer à Rostov pour éviter d'être coupés de leurs lignes. C'est la première grande défaite de la Wehrmacht. Le prestige de l'URSS*, de l'Armée rouge et de son chef, le maréchal Staline, grandit dans le monde entier. L'URSS s'engage alors dans la libération de son territoire. Dorénavant, l'initiative de la guerre change de main.

novembre 1943
Les troupes du général Juin débarquent en Italie. C'est l'occasion pour la nouvelle armée française de participer au combat aux côtés des Alliés, et pour le général de Gaulle d'imposer son pays comme puissance militaire.

13 novembre 1943
L'amiral américain Nimitz entame la reconquête des îles du Pacifique central par les îles Gilbert. Il adopte la stratégie du "saut de mouton" en attaquant certains archipels (Marshall, Mariannes), mais en en négligeant d'autres comme celui des Carolines.

Les armes de la guerre

Avec les chars et les avions, la guerre de 1939-1945 est celle du moteur et de la vitesse. Ces armes nouvelles n'ont qu'un seul but : détruire le plus d'ennemis possible.

Le fusil d'assaut allemand MP 43
Il est la première arme d'assaut, tirant soit coup par coup, soit en automatique (800 coups par minute). Idéal pour les combats de rue, il permet de tirer en rafales lors d'un assaut ou pour se dégager lors d'un encerclement. Après la guerre, il sera copié par toutes les armées du monde et notamment par l'Armée rouge qui fabriquera la célèbre Kalachnikov.

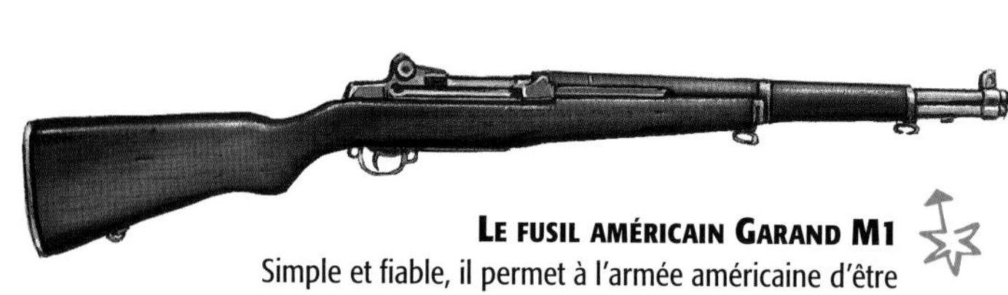

Le fusil américain Garand M1
Simple et fiable, il permet à l'armée américaine d'être la seule à aborder la Seconde Guerre mondiale avec un fusil semi-automatique (8 cartouches dans le chargeur). Le général américain Patton voyait dans le Garand le « meilleur outil de combat jamais conçu ».

La mitraillette britannique Sten
De petite taille et légère, elle est très appréciée des commandos britanniques et des résistants français, à qui elle est parachutée en grand nombre. Facile et peu chère à fabriquer, simple à utiliser, cette arme est cependant fragile.

La jeep américaine
C'est une voiture tout-terrain construite pour l'armée américaine par les sociétés Willys et Ford. Son nom vient de la prononciation anglaise des initiales GP ("gipi") de *General Purpose*, signifiant "tout usage". Disposant de quatre roues motrices, cette voiture peut atteindre 70 km/h.

Le radar
Le radar (Radio Detection And Ranging) détecte la présence d'avions ou de navires ennemis par ondes électromagnétiques. Très employé lors de la bataille d'Angleterre pour alerter la RAF*, les Allemands l'utilisent aussi lors de leurs bombardements pour repérer leurs objectifs.

1er décembre 1943
La conférence de Téhéran – première rencontre entre Churchill, Roosevelt et Staline – se termine. Le débarquement en France et le déplacement des frontières polonaises vers l'ouest (pour que l'URSS garde les territoires annexés en 1940) y sont entre autres décidés.*

de décembre 1943 à janvier 1944
Les Soviétiques lancent de nouvelles offensives en Biélorussie, en Ukraine et en Crimée. Leningrad est libéré le 27 janvier après presque 900 jours de siège, qui aura coûté la vie à plus de 630 000 habitants, morts de faim pour la plupart.

Les lance-roquettes russes

Surnommés "Katioucha" par les Russes et "orgues de Staline" par les Allemands, ces lance-roquettes de différents modèles sont montés sur des camions plates-formes. D'une portée de 9 km, les 16 roquettes peuvent détruire des chars et font des ravages dans les rangs allemands. Avec sa mobilité et sa terrible puissance de feu, le BM-13 est le meilleur lanceur de roquettes de la guerre.

Le char allemand Tigre II

Appelé aussi Tigre royal, il est le plus lourd (70 tonnes), le mieux protégé et le plus puissamment armé des chars de la guerre. Son canon de 88 mm à tir rapide surpasse en portée et en puissance les autres chars. Mais, défaut de ses qualités, avec ses 38 km/h seulement, il est lent et peu maniable.

Le char russe T-34

En inclinant le blindage du char T-34, les ingénieurs soviétiques ont conçu le premier char théoriquement à l'épreuve des obus. Avec son puissant canon de 85 mm, il peut atteindre 50 km/h sur une distance de 300 km. C'est l'un des meilleurs chars de la guerre, et les Allemands s'en inspireront pour leur fameux Panther.

Les fusées allemandes V1 et V2

Ces bombes volantes font partie de ce que les nazis appellent leurs "armes secrètes" destinées à changer l'issue de la guerre en 1944. Les V1 propulsent 830 kg de charge explosive à 600 km/h sur un rayon de 230 km. Les V2 *(ci-contre)* sont de véritables fusées propulsant 1 tonne d'explosifs avec une portée de 320 km et une vitessse de plus de 5 000 km/h ! Ce sont des machines complexes, de haute technologie et leurs concepteurs seront employés par les Américains après la guerre, notamment pour la conquête de l'espace.

1er février 1944

Création des Forces françaises de l'intérieur (FFI) qui regroupent l'ensemble des organisations armées de la Résistance : l'Armée secrète (AS), les Francs-Tireurs et Partisans (FTP) et l'Organisation de la résistance armée (ORA).*

de mars à juillet 1944

Suivant la route du Pacifique sud, le général américain MacArthur s'empare de la Nouvelle-Guinée, s'ouvrant ainsi la voie vers les Philippines.

La ville de Dresde ravagée après les bombardements de février 1945.

Les bombardements sur l'Allemagne

Qualifiés de "stratégiques" par les Alliés et de "terroristes" par les Allemands, ces bombardements détruisent les centres industriels, les installations portuaires et les voies de communication. Ils doivent aussi démoraliser et briser le courage de la population civile systématiquement visée.

Les populations civiles bombardées

Dès septembre 1939, les Allemands bombardent Varsovie, faisant des milliers de morts. Puis, le 14 mai 1940, Rotterdam est impitoyablement dévasté par un bombardement faisant plus de 1 000 victimes. Ce type d'attaque est renouvelé en 1940-1941 contre la Grande-Bretagne. Malgré les milliers de morts et de blessés, les Britanniques tiennent bon.

En 1943, après un raid aérien, ces Berlinois sont désemparés devant leurs maisons détruites.

LE FEU TOMBE SUR DRESDE

Dans la nuit du 13 au 14 février 1945, la ville de Dresde est à son tour attaquée. Les Britanniques larguent 2 600 tonnes de bombes incendiaires. Les Américains, eux, renouvellent l'attaque de jour. La population, en partie composée de réfugiés de l'Est, mais aussi de prisonniers de guerre alliés, est engloutie dans un gigantesque incendie qui ravage la ville pendant plusieurs jours. On compte plus de 100 000 victimes.

mars 1944
Les maquisards du plateau des Glières, en Haute-Savoie, sont attaqués par les Allemands et la Milice française. À quelques semaines du débarquement allié, un des maquis les plus célèbres de la Seconde Guerre mondiale est brisé.

de mai à juin 1944
Lors de leur offensive du mois de mai en Italie, les troupes françaises ont débordé la ligne Gustav par la montagne. La résistance allemande à Cassino est brisée, et les Alliés parviennent à Rome le 4 juin.

LA FRANCE SOUS LES BOMBES

Les raids alliés visent des installations vitales pour les Allemands (usines et bases navales). Les sites industriels sont attaqués et notamment les usines Renault de Boulogne-Billancourt, dès mars 1942, puis les ports de Saint-Nazaire et du Havre à partir de mars 1943. Mais au total, 65 000 Français sont tués lors des bombardements aériens entre 1940 et 1945.

En 1944, la plupart des villes allemandes ne sont plus que des ruines.

L'Allemagne en ligne de mire

Début 1942, les premiers bombardements britanniques frappent les ports de Lübeck et Rostock. Les raids américains commencent en janvier 1943. Dès mars, les attaques sont journalières. Alors que la RAF* bombarde de nuit, les Américains n'hésitent pas à attaquer de jour : leurs bombes sont lâchées d'une plus haute altitude et les résultats sont moins précis, mais l'objectif n'est-il pas de noyer le territoire nazi sous un tapis de bombes ? Palliant l'absence d'un second front en Europe occidentale, ces bombardements soutiennent la progression soviétique et ravagent les villes d'Allemagne : des milliers de bombes sont lâchées sur Hambourg (40 000 morts durant 3 nuits en juillet 1943), Magdebourg, Wuppertal... En novembre 1943, Berlin est visé. On compte alors 6 000 victimes et 1,5 million de Berlinois sans logement.

Des résultats peu concluants

Malgré les 325 000 victimes allemandes, les résultats de ces bombardements ne sont pas à la hauteur des espérances des autorités militaires alliées : les usines allemandes continuent de fonctionner jusqu'en mai 1945 ; les convois ferroviaires acheminent toujours les Juifs vers les camps d'extermination qui, eux, ne sont jamais bombardés. Malgré des largages de milliers de tonnes de bombes, les raids massifs ont montré leurs limites : les bombardiers alliés sont décimés par la Flak*, la défense antiaérienne allemande. Les pertes sont lourdes en avions comme en pilotes.

LE B-17 FLYING FORTRESS

Il est resté comme l'un des plus célèbres bombardiers lourds de la Seconde Guerre mondiale. Ses 13 mitrailleuses de 12,7 mm sur les flancs, en tourelles dorsale et ventrale et dans le nez de l'appareil devaient permettre de repousser les chasseurs allemands, mais les pertes de B-17 furent nombreuses au-dessus de l'Allemagne.

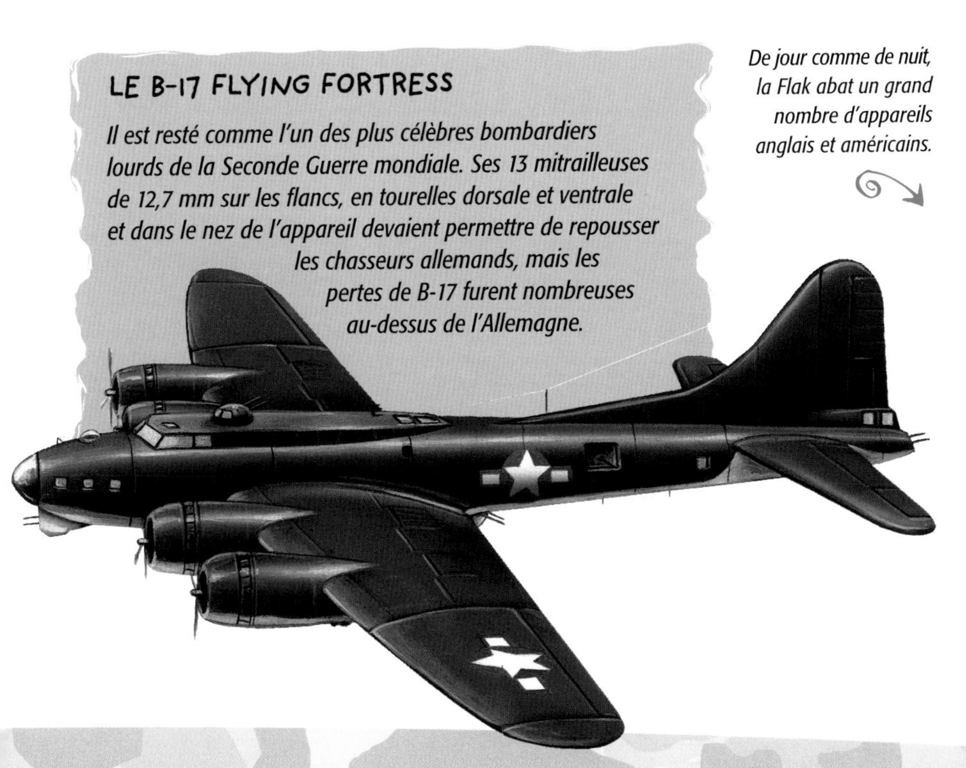

De jour comme de nuit, la Flak abat un grand nombre d'appareils anglais et américains.

3 juin 1944
Formation du gouvernement provisoire de la République française par le général de Gaulle. À la veille de la libération, ce dernier souhaite apparaître comme le représentant légitime de la France.

6 juin 1944
D-Day en Normandie. Les forces alliées commandées par le général américain Eisenhower débarquent sur les plages de la Manche et du Calvados. Les FFI entrent dans le combat pour la libération et l'insurrection gagne l'ensemble de la France.*

La bataille du monte Cassino

En septembre 1943, les Anglo-Américains décident d'établir un front en Europe. L'Italie ayant signé un armistice* le 8 septembre, les Alliés débarquent le 9 dans le sud du pays avec pour objectif d'atteindre Rome. Les Allemands désarment leurs anciens alliés, occupent le pays et organisent une ligne de défense au nord de Naples : la ligne Gustav.

Le monte Cassino est la clé de la ligne de défense allemande dans le sud de l'Italie. Les Alliés doivent le prendre pour s'ouvrir la route de Rome.

Les Allemands, maîtres du terrain

L'offensive reprend en janvier 1944. Les Alliés (dont les Français) attaquent les Allemands sur trois fronts à partir du 17. Parallèlement, les Américains débarquent le 22 à Anzio, derrière les lignes allemandes, mais ne réussissent pas à enfoncer les défenses ennemies. Les assauts continuent en février puis en mars, dans la neige et le froid. Les bombardements alliés détruisent le monastère et la ville de Cassino. Les Néo-Zélandais, les Indiens puis les Polonais tentent d'escalader le mont, mais ce sont des échecs meurtriers.

Le monte Cassino

Les Alliés prennent Naples le 1er octobre et occupent tout le sud de l'Italie. Mais ils sont rapidement bloqués par la ligne Gustav, dont la clé est le monte Cassino (435 m d'altitude). À son sommet, un monastère surplombe la ville de Cassino et domine les vallées du Rapido et du Liri. Les Alliés sont obligés de s'enterrer sur une ligne continue. Les combats sont âpres, le ravitaillement n'arrive pas toujours, les canons tonnent sans cesse et écrasent les fantassins dans leurs tranchées... mais les Alliés ne parviennent pas à forcer ce verrou.

Des parachutistes allemands solidement retranchés dans le monastère du monte Cassino.

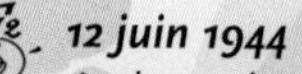

12 juin 1944
Au large d'Arromanches, d'immenses et ingénieux pontons de béton et d'acier commencent à être installés pour pallier le manque de ports. Les bateaux de ravitaillement pourront y décharger leurs cargaisons qui sera acheminée vers la côte grâce à des quais flottants.

14 juin 1944
Le général de Gaulle débarque en Normandie et arrive à Bayeux, première ville française libérée. Il s'oppose à l'administration par les Américains des territoires français libérés, et réussit à imposer les commissaires de la République qu'il a lui-même nommés.

La ville de Cassino est réduite en cendres, mais sous le feu de l'artillerie et de l'aviation alliées, les Allemands résistent toujours.

Les Marocains dans les montagnes

En mai 1944, l'offensive reprend sur une manœuvre du général français Juin, qui veut éviter de heurter de front les défenses de Cassino. C'est par la montagne, là où l'ennemi ne s'y attend pas, qu'il faut porter l'effort pour encercler les Allemands. Les reliefs sont truffés de fortins, mais pour l'assaut, les Français comptent sur les goumiers du Maroc. Ces Berbères originaires des monts de l'Atlas, et dont les nombreux mulets transportent munitions et ravitaillement, forment une infanterie de montagne particulièrement redoutable *(voir DVD, chap. 7)*.

Des tirailleurs nord-africains escaladent les montagnes italiennes pour prendre à revers le monte Cassino et ses défenseurs.

L'offensive française

Le 11 mai, à 23 h, un intense bombardement d'artillerie déclenche l'offensive alliée. Le 12 mai, l'offensive doit être relancée et les Français réussissent à percer le front. Le 13 mai, les Marocains forment une brèche de 25 km de large sur 12 km de profondeur dans la ligne Gustav. Pendant ce temps, les Polonais butent toujours face aux défenseurs allemands de Cassino, alors que les Britanniques se maintiennent difficilement sur le Rapido et les Américains piétinent devant Santa Maria.

Un front secondaire

Le 17 mai 1944, la progression française menace d'encercler les défenses ennemies. Le maréchal allemand Kesselring ordonne à ses 90 000 soldats de se replier. Le même jour, les Polonais lancent l'assaut sur le monastère qui tombe enfin. Cette bataille a coûté 115 000 hommes aux Alliés et 60 000 aux Allemands. Le 23 mai, les Alliés réussissent une percée à Anzio où ils sont encerclés depuis janvier. Grâce à la vaillance des Français, la route de Rome est maintenant ouverte. Les Américains pénètrent dans la capitale italienne le 4 juin. Si, après le débarquement en Normandie, les Alliés considèrent ce front comme secondaire, les combats en Italie seront pourtant encore très meurtriers et dureront jusqu'à la fin de la guerre.

22 juin 1944
Grande offensive soviétique en Biélorussie et en Ukraine. La Vistule, l'un des principaux fleuves de la Pologne, ainsi que les frontières de la Roumanie et de la Hongrie sont atteintes en août.

de juin à août 1944
Les Américains s'emparent de l'archipel des Mariannes, avec notamment l'île Saipan et l'île de Guam. L'archipel assure aux Américains une base aérienne pour bombarder le Japon.

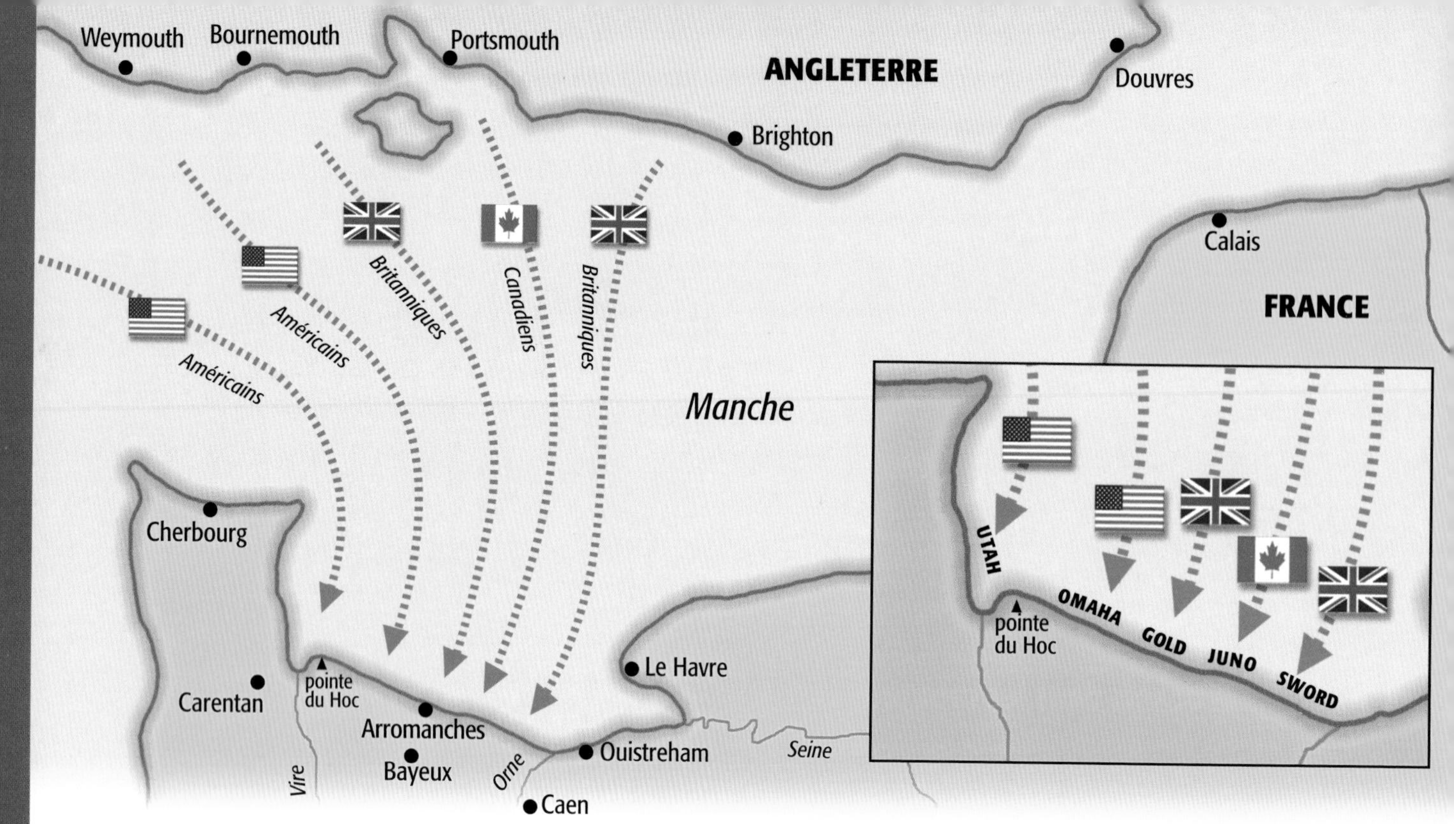

Le débarquement de Normandie

Au matin du 6 juin 1944, une formidable armada alliée de 6 400 navires croise au large de la Normandie. À 6 h du matin commence la plus gigantesque opération militaire jamais mise en place : l'opération Overlord.

Le plan

L'action doit se dérouler sur 5 plages représentant 80 km de côte : Utah et Omaha pour les Américains ; Gold, Juno et Sword pour les Anglo-Canadiens. L'assaut de 5 divisions permettra de former une tête de pont. Sur les côtés de cette zone, les troupes aéroportées (parachutistes et planeurs) doivent empêcher les contre-attaques. Le jour J, 50 000 hommes, 1 500 chars, 3 000 canons et 12 500 véhicules vont débarquer et être ravitaillés et soutenus par 5 autres divisions dans les 48 h qui suivent. Il est prévu qu'au jour J + 60 (le 6 août), 2 millions de soldats aient débarqué en Normandie. Les Alliés disposent d'un atout majeur : 7 500 avions. Les Allemands n'en ont que 300.

Des milliers de parachutistes sont largués pour tenir les voies de communication et empêcher l'envoi de renforts allemands.

juillet 1944
À Bretton Woods a lieu une conférence internationale. Des experts financiers préparent l'après-guerre et les conditions d'une paix durable. Ils instaurent le Fonds monétaire international pour assurer la stabilité des changes entre les différentes monnaies.

3 juillet 1944
Dans l'Isère, les nombreux maquisards concentrés sur le plateau du Vercors proclament la "République du Vercors". Cette poche de résistance est anéantie par les Allemands. De plus, le village de Vassieux est rasé et soixante-treize de ses habitants massacrés.

MESSAGE

Dans la soirée du 5 juin, les résistants français sont avertis de l'opération par des messages radio de la BBC. Parmi ceux-ci, les vers de Paul Verlaine : « Les sanglots longs des violons de l'automne bercent mon cœur d'une langueur monotone. »

Les préparations

Dans la nuit du 5 au 6 juin, un intense bombardement aérien et naval écrase les défenses côtières allemandes. Après minuit, des milliers de parachutistes sont largués avec pour objectif de s'emparer des ponts et des carrefours routiers. Mais beaucoup se retrouvent à des kilomètres des zones prévues. Malgré les mauvaises conditions météo, les premières forces amphibies alliées atteignent les plages normandes à 6h25. Dans la matinée, un millier de sabotages bloquent routes et voies ferrées et coupent les lignes téléphoniques, paralysant les communications allemandes et retardant l'arrivée des renforts vers la Normandie.

LE MUR DE L'ATLANTIQUE

En France, les côtes de la mer du Nord, de la Manche et de l'Atlantique sont truffées de fortins, de canons et de mitrailleuses, de fossés antichars, de mines et de barbelés. Pour empêcher les bateaux d'accoster sur les plages, les Allemands ont posé des mines, installé des poteaux de béton et des rails entrecroisés.

Un contingent britannique débarque sur la plage de Sword. Il est entre 6h30 et 7h30 du matin.

Dans les péniches

Le vent souffle fort, la pluie tombe à verse et les hommes sont malades. Derrière la brume, les côtes normandes apparaissent, bientôt les plages. La barge s'ouvre : les officiers poussent leurs hommes à débarquer rapidement. Les jeunes soldats tombent dans l'eau, tentent de gagner la plage sous le feu nourri des Allemands. Des camarades s'écroulent. Dans l'eau glacée, certains sont entraînés vers le fond par leur lourd équipement. Sur la plage, c'est la course vers les premières dunes pour se protéger.

Les soldats américains débarquent sous le pilonnage intensif des défenses allemandes.

20 juillet 1944
Adolf Hitler est légèrement blessé dans un attentat contre son quartier général en Prusse orientale. La répression est féroce contre les officiers ayant pris part au complot. Le général Rommel, lui aussi impliqué, est contraint au suicide.

1er août 1944
À Varsovie, les 45 000 résistants de l'armée de l'intérieur s'insurgent. Les Russes, qui sont à quelques kilomètres de la capitale polonaise, refusent de les aider. Les Polonais sont écrasés, 250 000 habitants meurent lors des combats.

Sur les plages

C'est dans le froid et au milieu d'une mer démontée qu'une poignée de Français se joint à des milliers de jeunes soldats venus d'outre-Atlantique et d'outre-Manche pour débarquer sur le sol normand. Certains, comme à Utah ou à Sword, subiront peu de pertes, mais sur Omaha Beach, les Américains sont massacrés sur place.

Utah Beach

Sur Utah, la première vague d'assaut débarque à 6 h 30. Poussés par les courants, les hommes ont la chance de débarquer plus au sud, sur une petite plage peu défendue. Une tête de pont est établie de Sainte-Mère-Église à Sainte-Marie-du-Pont. Sur les 23 250 soldats américains débarqués, 200 sont tués.

Omaha Beach

Sur Omaha, les soldats débarquent à 6 h 30 sur une plage parsemée d'obstacles et sous un feu nourri. Plus de 70 % des soldats de la première vague d'assaut sont tués ou blessés. Les survivants mettent presque 2 h à sortir de l'eau et à prendre position sur la plage. C'est un massacre : la mer et la plage sont couvertes de corps. Malgré tout, dans la soirée, les Américains contrôlent une zone de 2 km de profondeur sur 8 km de large autour de Saint-Laurent.

LA POINTE DU HOC

Sur la pointe du Hoc, 225 rangers américains prennent d'assaut la falaise où sont installés des canons dirigés sur les plages d'Utah et d'Omaha. Après de sanglants combats, ils escaladent des échelles de corde et arrivent au sommet pour s'apercevoir finalement que les Allemands ont retiré leurs canons.

Gold

Sur Gold, les Anglais débarquent à 7 h 25 à 5 km à l'est de l'endroit prévu. Ils prennent rapidement Bayeux et se dirigent sur Arromanches où doit être installé un port artificiel.

4 août 1944
Anne Franck, jeune juive allemande de 13 ans, est arrêtée avec sa famille réfugiée à Amsterdam. Déportée au camp de Bergen-Belsen, elle y mourra en 1945. Depuis juin 1942, elle décrivait dans son Journal les terribles conditions de vie des Juifs victimes du nazisme.

20 août 1944
En Normandie, la poche de Falaise tenue jusqu'alors par les Allemands n'existe plus : la bataille de Normandie est gagnée par les Alliés. Ils peuvent se déployer d'une part vers le nord et les ports de la Manche, et d'autre part vers l'ouest et Paris.

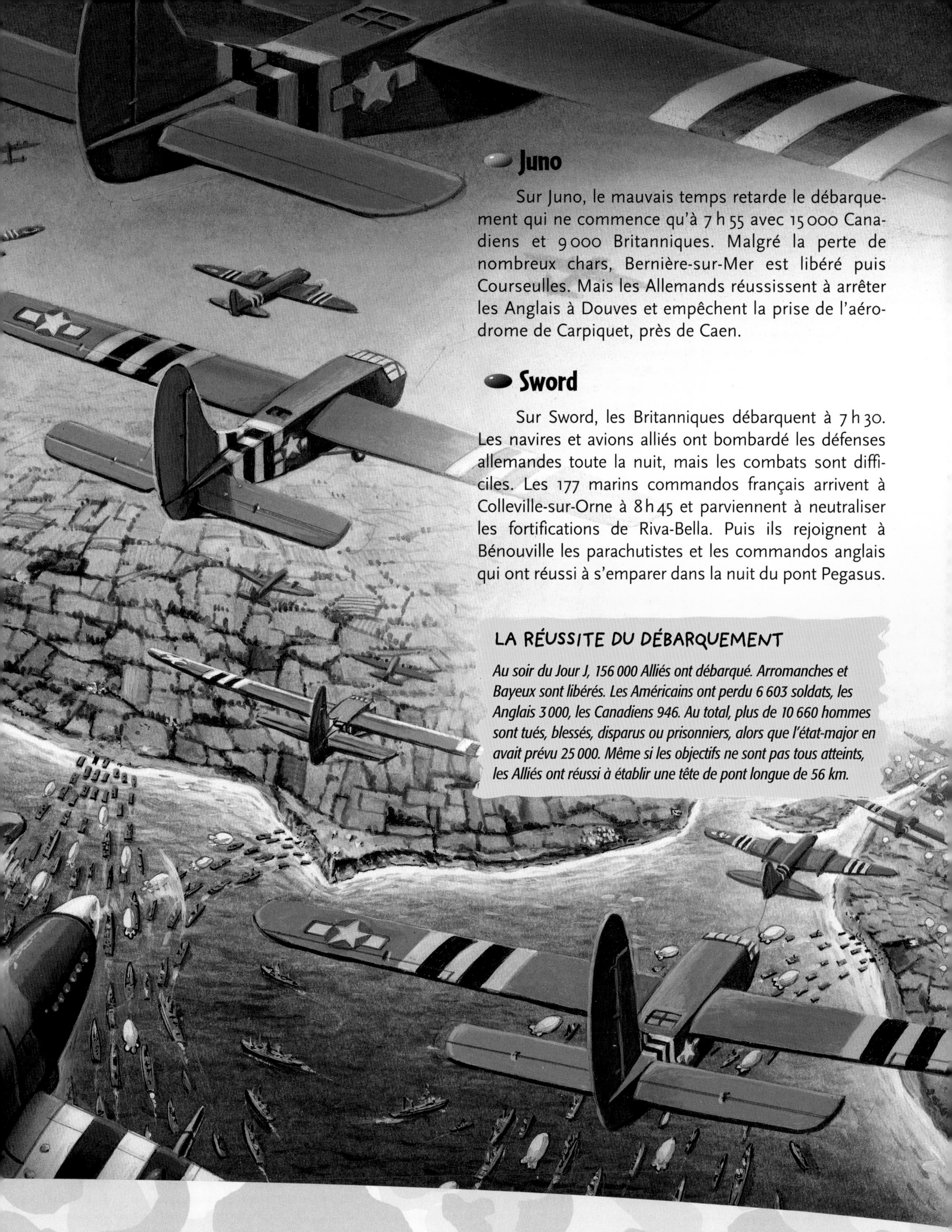

Juno

Sur Juno, le mauvais temps retarde le débarquement qui ne commence qu'à 7 h 55 avec 15 000 Canadiens et 9 000 Britanniques. Malgré la perte de nombreux chars, Bernière-sur-Mer est libéré puis Courseulles. Mais les Allemands réussissent à arrêter les Anglais à Douves et empêchent la prise de l'aérodrome de Carpiquet, près de Caen.

Sword

Sur Sword, les Britanniques débarquent à 7 h 30. Les navires et avions alliés ont bombardé les défenses allemandes toute la nuit, mais les combats sont difficiles. Les 177 marins commandos français arrivent à Colleville-sur-Orne à 8 h 45 et parviennent à neutraliser les fortifications de Riva-Bella. Puis ils rejoignent à Bénouville les parachutistes et les commandos anglais qui ont réussi à s'emparer dans la nuit du pont Pegasus.

LA RÉUSSITE DU DÉBARQUEMENT

Au soir du Jour J, 156 000 Alliés ont débarqué. Arromanches et Bayeux sont libérés. Les Américains ont perdu 6 603 soldats, les Anglais 3 000, les Canadiens 946. Au total, plus de 10 660 hommes sont tués, blessés, disparus ou prisonniers, alors que l'état-major en avait prévu 25 000. Même si les objectifs ne sont pas tous atteints, les Alliés ont réussi à établir une tête de pont longue de 56 km.

septembre 1944
L'URSS déclare la guerre à la Bulgarie le 5. Le nouveau gouvernement bulgare, animé par les communistes, déclare la guerre à l'Allemagne le 9. La Roumanie, occupée par l'Armée rouge, signe un armistice* avec l'URSS le 12, puis attaque son ancien allié allemand.*

du 17 au 26 septembre 1944
Pour lancer une offensive contre l'Allemagne, Montgomery prévoit de s'emparer des ponts sur le Rhin aux Pays-Bas grâce à des unités parachutistes. Les Alliés ne réussissent pas à prendre le dernier pont à Arnhem. Après un dur combat, ils capitulent.

Le débarquement de Provence

L'attaque de la "forteresse Europe" prévoyait un débarquement sur les côtes de la Provence pour prendre les Allemands en tenaille avec les troupes de Normandie, et accélérer ainsi la libération de la France. Les 15 et 16 août 1944, les Américains et l'armée française du général de Lattre de Tassigny débarquent entre Cavalaire et Saint-Raphaël.

Dans la nuit du 14 au 15 août 1944, près de 535 avions Dakota venus d'Italie larguent plus de 5 000 parachutistes. Ils sont essentiellement américains et anglais, mais aussi canadiens et français.

L'importance de la logistique

Une grande opération est prévue. Plusieurs milliers d'hommes vont rapidement débarquer sur les plages, pénétrer à l'intérieur des terres et recevoir du ravitaillement, des armes et des munitions. Les blindés suivront et soutiendront la progression de l'infanterie. Les blessés doivent pouvoir être rapidement secourus. Tout ceci nécessite une logistique importante. Avec l'expérience acquise en Normandie, les Alliés espèrent pouvoir consolider rapidement leur tête de pont provençale et prendre les ports de Toulon puis de Marseille.

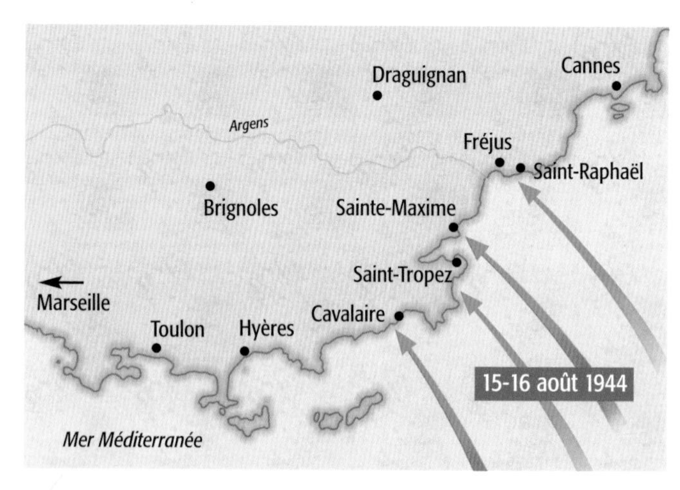

Le débarquement est un succès

La première vague débarque le 15 août avec un minimum de pertes. La résistance française joue tout de suite son rôle en renseignant les soldats américains et français, et en servant d'éclaireurs aux unités de première ligne. Dès les jours suivants, les divisions de la deuxième vague peuvent débarquer, renforçant ainsi le dispositif.

19 septembre 1944
La Finlande signe un armistice avec l'URSS* à Moscou. Elle se voit obligée de céder plus de 42 000 km² de territoire à son grand voisin.*

septembre 1944
La Slovaquie se soulève contre les Allemands qui occupent le pays depuis le mois d'août. L'insurrection est menée par des partisans armés et encadrés par les Soviétiques.*

Des goumiers marocains débarquent sur les côtes de Provence.

La deuxième phase de l'opération

Elle consiste à libérer la côte méditerranéenne afin de disposer des principaux ports pour acheminer les renforts. Il faut ensuite remonter le plus vite possible le long de la vallée du Rhône pour faire la jonction avec les unités alliées venant de Normandie. Les importants ports de Toulon et de Marseille semblent difficiles à prendre. Malgré cela, les unités américaines remontent vers le nord dès le 17 août, et prennent en chasse les forces allemandes qui se replient vers la vallée du Rhône. Dans le même temps, les troupes françaises longent le littoral pour libérer les ports.

Spahis (cavaliers), goumiers et tirailleurs venus d'Afrique noire, d'Algérie, de Tunisie ou du Maroc : ils sont des dizaines de milliers de combattants dans l'armée B du général de Lattre de Tassigny à être originaires de l'empire. Toulon et Marseille, comme plus tard Lyon, Belfort ou Colmar, sont libérés par ces hommes venus de l'autre côté de la Méditerranée. En 1944, ils sont près de 250 000 sur un total de 535 000 combattants, auxquels il convient de rajouter près de 180 000 Français, hommes et femmes, d'Afrique du Nord.

La libération de la Provence

Le 23 août, les résistants s'insurgent à Marseille. Mais la garnison allemande est forte de plusieurs milliers de soldats. Les Français de la 3e division algérienne et de la 5e division blindée viennent à temps soutenir les FFI*. Les Allemands sont tenaces, mais le 26 août, Marseille est libéré. Après de violents combats, Toulon est également libéré le 26 août avec douze jours d'avance sur le plan initial. Remontant la vallée du Rhône au milieu de la joie populaire, les résistants français et les soldats alliés libèrent le Sud-Est de la France.

Des unités américaines et françaises progressent en Provence au milieu de la liesse populaire.

fin septembre 1944
Le black-out sur la Grande-Bretagne commence à être levé. Peu à peu, les rideaux laissant passer la lumière réapparaissent aux fenêtres, les lampadaires sont rallumés dans la rue, les voitures retrouvent leurs phares.

5 octobre 1944
Une loi entérine l'ordonnance d'Alger du 21 avril accordant le droit de vote aux femmes. Celles-ci voteront pour la première fois aux élections municipales du 29 avril 1945.

La libération de la France

Après la victoire de la bataille de Normandie, les Alliés progressent rapidement jusqu'à la Seine. Pendant ce temps, la réussite du débarquement en Provence leur permet de remonter le long du Rhône. La joie de la Libération envahit soudain le pays.

Le 26 août, la foule des Parisiens acclame le général de Gaulle qui descend les Champs Élysées.

Les combats des FFI

Dès le Jour J, les résistants français exécutent les plans de sabotage prévus par les Alliés. Dans toute la France, des milliers d'hommes rejoignent les Forces françaises de l'intérieur* (FFI) et les maquis pour prendre part aux combats libérateurs. En Bretagne, ils sont près de 20000 à lutter contre les Allemands. Dans le Sud-Ouest, malgré une terrible répression, les résistants libèrent Toulouse, Limoges... Les maquis du mont Mouchet (Auvergne) et du Vercors (Drôme) immobilisent de nombreux Allemands incapables de rejoindre les fronts de Normandie ou de Provence.

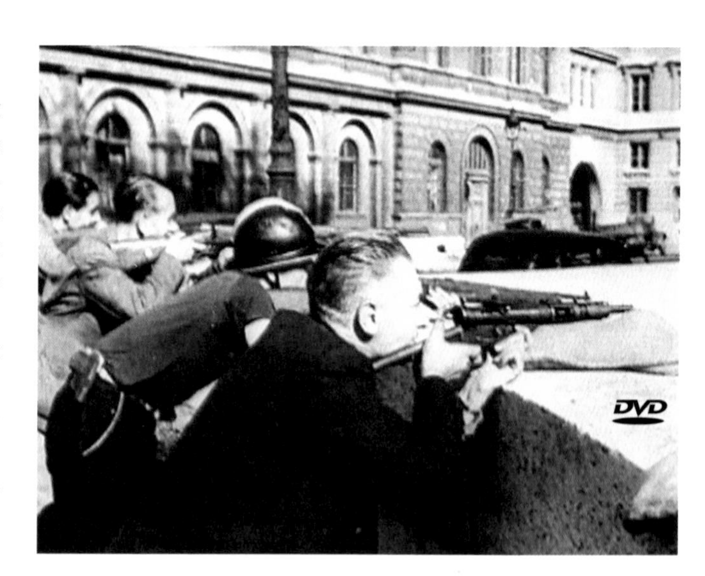

Des FFI parisiens prennent pour cible des tireurs allemands embusqués.

12 octobre 1944
Les Allemands quittent Athènes libérée par les Britanniques. Une guerre civile débute alors, opposant le gouvernement de Georges Papandréou et les communistes. Elle prendra fin en août 1949. Les communistes seront écrasés.

23 octobre 1944
Les Alliés reconnaissent le gouvernement provisoire de la République française du général de Gaulle. La France peut enfin s'imposer comme une grande puissance.

Le 26 août, à l'Hôtel de ville de Paris, les derniers Allemands tirent sur la foule venue accueillir ses libérateurs.

LE MASSACRE D'ORADOUR-SUR-GLANE

Le 10 juin 1944, pour réprimer et se venger des maquisards qui les harcèlent, 120 soldats SS de la division "Das Reich" choisissent d'incendier le village d'Oradour-sur-Glane, en Haute-Vienne. Ils assassinent 642 habitants : les hommes sont fusillés, tandis que les 246 femmes et 207 enfants sont brûlés vifs dans l'église.*

Paris libéré

Paris n'est pas un objectif militaire pour les Américains. Pourtant, l'insurrection éclate le 18 août sur l'initiative des FFI commandés par le colonel Rol-Tanguy, et la ville est le siège de violents combats. Hitler donne l'ordre au général von Choltitz, commandant la place, de brûler Paris. De leur côté, les Américains autorisent le général Leclerc et la 2e division blindée à avancer seuls pour soutenir les insurgés *(voir DVD, chap. 8)*. Le 24 août, les soldats français entrent dans la capitale et le 25 août, von Choltitz signe, avec le général Leclerc, le texte de capitulation. Le 26, le général de Gaulle, acclamé par la foule, dépose une gerbe sur la tombe du soldat inconnu. La France a libéré et retrouvé sa capitale.

Les éléments de la 2e division blindée sont acclamés par la population tout le long de leur progression.

L'ÉPURATION

La libération de la France s'accompagne d'une vague d'épuration menée par des groupes se réclamant de la Résistance. Il s'agit de juger, parfois d'éliminer, les Français qui ont collaboré avec les Allemands. C'est souvent l'occasion de se venger et de régler des comptes personnels.

La joie de la Libération

Après quatre années d'occupation, la Libération est un grand moment de joie. Les soldats alliés libérateurs sont submergés par les acclamations, les fleurs et les embrassades. Les Américains distribuent du chocolat et des chewing-gums aux enfants, les drapeaux nazis sont retirés. Interdits par les Allemands et par Vichy, des bals sont improvisés sur les places des villages.

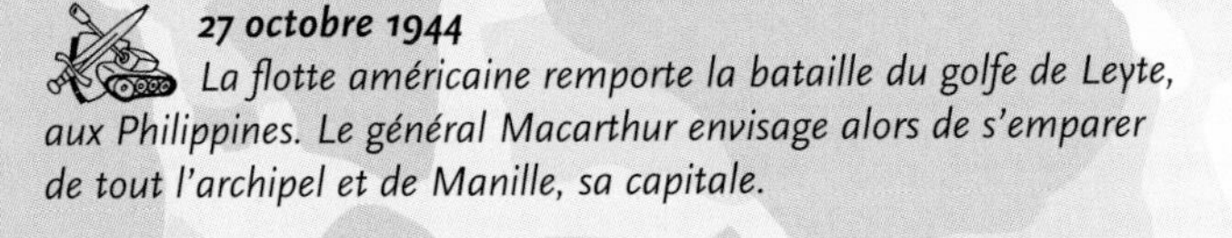

27 octobre 1944
La flotte américaine remporte la bataille du golfe de Leyte, aux Philippines. Le général Macarthur envisage alors de s'emparer de tout l'archipel et de Manille, sa capitale.

31 décembre 1944
Alors que le gouvernement polonais est en exil à Londres depuis 1939, les Soviétiques forment un gouvernement provisoire à Lublin, à l'est de la Pologne. Il sera reconnu par les Alliés.

Victoires à l'Ouest

Depuis les victoires en Normandie et en Provence, la progression des Alliés en France et en Belgique s'effectue à un rythme soutenu. En novembre 1944, les Alliés atteignent le Rhin et envisagent une prochaine offensive sur le cœur industriel du Reich* : la Ruhr.

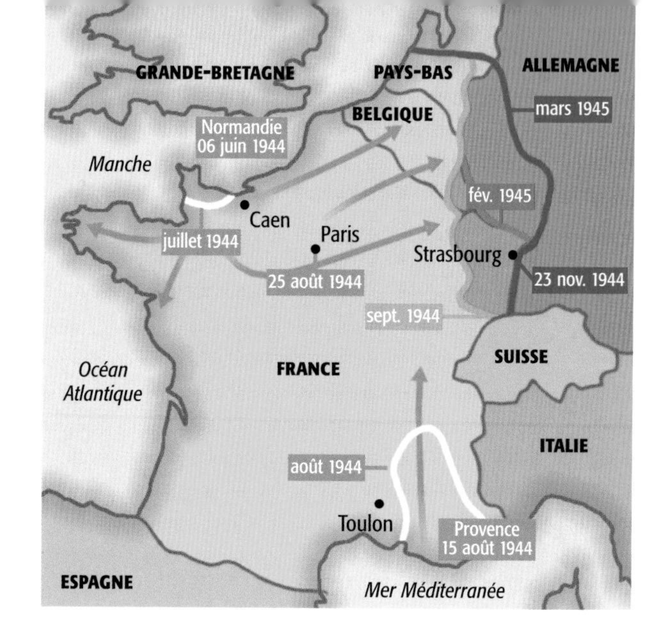

La bataille des Ardennes

Pour arrêter la progression alliée, Hitler mobilise ses maigres réserves pour l'attaque de la dernière chance dans les Ardennes. Le 16 décembre 1944, les Allemands réussissent une percée de plus de 50 km dans les lignes américaines. Eisenhower songe à se replier et à abandonner Strasbourg, mais les Français défendent coûte que coûte la capitale alsacienne que Leclerc a libérée le 23 novembre. À Bastogne, les deux divisions américaines repoussent toutes les attaques allemandes et, le 26 décembre, une colonne de la 3e armée du général Patton brise l'encerclement de la ville. Le 20 janvier 1945, de Lattre relance son offensive dans le sud de l'Alsace toujours occupée.

L'échec allemand

L'hiver 1944-1945 est très rude. À la fin du mois de janvier, après de sanglants combats dans la neige, les Américains repoussent les Allemands à leur point de départ et entament leur entrée en Allemagne. Le "dernier coup de dé" de Hitler n'aura fait que retarder les Alliés, mais le bilan est terrible : 8 700 soldats américains ont été tués, 45 000 blessés, 22 000 portés disparus. Les Anglais déplorent la perte de 1 400 de leurs hommes. Quant aux Allemands, 12 652 de leurs soldats sont tués, 38 600 blessés et 30 582 portés disparus. Ces hommes et l'équipement perdu dans la bataille des Ardennes vont cruellement manquer aux Allemands pour la défense finale de leur territoire.

Sous la neige et dans le froid particulièrement vif de l'hiver 1944-1945, des artilleurs américains mettent leur canon en batterie.

12 janvier 1945
Profitant de l'offensive allemande dans les Ardennes, les Soviétiques lancent une attaque sur l'Oder – un fleuve d'Europe centrale –, et se rapprochent dans le même temps de Berlin.

27 janvier 1945
Le camp de concentration et d'extermination d'Auschwitz est libéré par l'Armée rouge. Dans le camp d'extermination d'Auschwitz II-Birkenau, 970 000 Juifs ont été assassinés en trois ans.

Une escadrille de chasseurs-bombardiers P-47 américains attaque une colonne de chars Tigre allemands dans une ville en ruine.

L'assaut final contre le Reich

L'invasion de l'Allemagne est imminente. En mars 1945, les Alliés découvrent, à Remagen, un pont intact sur le Rhin. À la fin du mois, les Britanniques au nord, les Américains au centre et les Français au sud franchissent le fleuve. Dès le 2 avril, la Ruhr est prise en tenaille par les Anglais et les Américains. Plus de 400 000 Allemands sont faits prisonniers. Les Britanniques sont sur l'Elbe et les Américains prennent Leipzig le 14 avril. Les Français, quant à eux, occupent Stuttgart puis Ulm. Le 25 avril, les Américains opèrent leur jonction avec les Soviétiques sur l'Elbe. Estimant que la ville n'a pas d'intérêt militaire, Eisenhower laisse Berlin aux Soviétiques.

La guerre en Europe touche à sa fin

Sur le front ouest, les armées allemandes capitulent les unes après les autres: le 29 avril en Italie, le 4 mai au Danemark et aux Pays-Bas. Ce même jour, la 2e DB du général Leclerc s'empare du Nid d'Aigle, la résidence de Hitler dans les Alpes bavaroises. L'invasion de l'Allemagne a coûté cher: 6 570 Américains, 15 628 Anglo-Canadiens, 90 000 Allemands tués et blessés (et 259 000 prisonniers). Les Français ont subi plus de 5 300 pertes, dont 1 200 morts.

du 4 au 11 février 1945
À la conférence de Yalta, en Crimée, un accord est obtenu sur les nouvelles frontières en Europe, notamment celles de la Pologne. La France se voit accorder une zone d'occupation en Allemagne et une place au sein de la nouvelle Organisation des Nations unies.

début février 1945
Colmar et l'Alsace sont définitivement libérés par une offensive de l'armée du général de Lattre de Tassigny. Les Allemands sont repoussés au-delà du Rhin.

La bataille de Berlin

Depuis leur victoire à Stalingrad, les Soviétiques ont libéré leur patrie et progressent vers l'Allemagne. Pour mobiliser son armée et son peuple, Hitler proclame que l'Allemagne est le dernier bastion contre l'expansion communiste. En pénétrant sur le territoire allemand, les soldats soviétiques n'ont qu'une idée : se venger des atrocités commises par les nazis en URSS depuis 1941.

Le 2 mai 1945, un sergent russe, Kovaliov, soutenu par son camarade, plante le drapeau soviétique sur le Reichstag tandis que Berlin brûle.

L'EFFORT DE GUERRE SOVIÉTIQUE

Pour gagner la "Grande Guerre patriotique", des millions d'hommes et de femmes de toutes les nationalités de l'URSS, sont sous les drapeaux. Les usines de guerre tournent jour et nuit. Afin de venger leurs millions de morts, les Soviétiques s'unissent autour de Joseph Staline, dont le prestige international s'accroît avec les victoires de l'Armée rouge.

Le "rouleau compresseur" soviétique

Durant l'été 1944, une gigantesque offensive russe engage 600 divisions d'infanterie et 110 divisions blindées, soit près de 10 millions d'hommes. L'URSS* est entièrement libérée en août; la Roumanie, la Bulgarie et la Finlande sont envahies. Varsovie espère recevoir l'aide russe et s'insurge, mais les Soviétiques ne bougent pas et les Polonais sont écrasés par les nazis. Après un ralentissement pendant l'hiver, la progression soviétique reprend en février 1945, alors qu'à l'Ouest les Alliés n'ont toujours pas franchi le Rhin. Staline presse ses généraux: il veut s'emparer de Berlin avant les Occidentaux. Il engage 2 500 000 hommes dans la bataille. Le 20 avril 1945 (jour de l'anniversaire du Führer), Berlin est encerclé. Hitler se réfugie dans son bunker sous les jardins de la Chancellerie.

Médaille soviétique commémorative de la prise de Berlin, frappée au verso de la date du 2 mai 1945.

février 1945
Les bombardements sur le Japon s'intensifient. Construites en bois, les villes japonaises sont dévastées et l'activité des grands ports est très réduite.

4 mars 1945
Après une bataille d'un mois, Manille tombe aux mains du général MacArthur. Dans cet affrontement, 100 000 civils philippins trouvent la mort.

Le chaos

À Berlin, les forces allemandes ne comptent plus que 60 000 soldats, dont le Volkssturm. Cette réserve composée d'hommes âgés, d'enfants et de malades est mal équipée, possède peu de munitions et n'est soutenue par aucun blindé. La capitale n'est plus qu'une ruine envahie par des centaines de milliers de réfugiés, de prisonniers de guerre et de travailleurs forcés qui ont échappé à leurs gardiens. Sans logement, eau ni nourriture, dormant dans la rue, les civils subissent les feux des deux parties, et les exactions des soldats soviétiques qui violent les femmes et pillent les rares maisons encore debout.

NORVÈGE
SUÈDE
DANEMARK
ESTONIE
LETTONIE
LITUANIE
Mer Baltique
Leningrad
Moscou
Stalingrad
Koursk
nov. 1944
juillet 1943
juin 1944
POLOGNE
Berlin
Varsovie
mars 1945
janv. 1945
Kiev
URSS OCCUPÉE PAR L'ALLEMAGNE
Rostov
ALLEMAGNE
BOHÊME-MORAVIE
SLOVAQUIE
AUTRICHE
HONGRIE
CRIMÉE
Sébastopol
SUISSE
ROUMANIE
Mer Noire
ITALIE
CROATIE
SERBIE
BULGARIE
Mer Adriatique
MONTÉNÉGRO
Rome
ALBANIE
nov. 1944
TURQUIE
GRÈCE

Victoire à Berlin !

Le 22 avril, Berlin est totalement encerclé. Deux jours plus tard, les premiers Soviétiques pénètrent dans la ville, tandis qu'à Torgau, sur l'Elbe, ils font la jonction avec les Américains : l'Allemagne est coupée en deux. Les Berlinois luttent avec l'énergie du désespoir. Chaque immeuble, chaque maison sont défendus. Le 26 avril, la prise de l'aéroport de Tempelhof prive les troupes allemandes du peu de soutien que la Luftwaffe* pouvait encore leur apporter. Le 30 avril, Hitler se suicide dans son bunker. Le soir même, les soldats de l'Armée rouge lancent l'assaut contre les défenseurs du Reichstag, le Parlement allemand.

Dans les rues de Berlin, des prisonniers allemands sont soignés en attendant leur transfert vers des camps en URSS, d'où seuls quelques-uns reviendront.

La capitulation allemande

Le 1er mai 1945, le commandant de la garnison de Berlin capitule. Les Soviétiques poursuivent cependant le combat pendant encore deux jours pour anéantir les dernières poches de résistance. Les 7 et 8 mai, à Reims puis à Berlin, les Allemands signent l'acte de capitulation devant les représentants alliés. La Seconde Guerre mondiale est terminée en Europe.

9 mars 1945
Redoutant une offensive des Français contre leurs bases en Indochine (actuel Viêt-Nam), les Japonais attaquent par surprise les garnisons françaises.

mars-avril 1945
Un gouvernement favorable aux Soviétiques s'impose en Roumanie. En Tchécoslovaquie, le gouvernement jusque-là en exil à Londres s'installe en Slovaquie occupée par l'Armée rouge. Les communistes y occupent de nombreux postes ministériels.

Derniers combats dans le Pacifique

Depuis la fin de 1942, progressant par les Philippines à l'est et par les îles de Tarawa et Guam au centre, les Américains et les Britanniques ont repris le terrain perdu face aux Japonais. Négligeant certains atolls, ils en conquièrent d'autres pour y installer leur matériel, leurs ports et leurs aérodromes.

Sur Iwo Jima dévastée, les marines tentent de déloger les derniers défenseurs japonais.

Dans l'enfer de la jungle

Les Philippines, la Birmanie, la Malaisie, les îles de Java, de Bornéo et de Nouvelle-Guinée sont un enfer pour les Alliés. Les marches sont longues et épuisantes, les pistes boueuses et envahies par une épaisse végétation, et l'incessant harcèlement des moustiques ne fait qu'ajouter à la difficulté de se mouvoir dans l'humidité et la chaleur. La malaria fait plus de victimes que les combats. Pourtant, petit à petit, aidés par les résistants malais, philippins ou birmans, les soldats britanniques, australiens et américains parviennent à prendre le dessus. Leur endurance et leur capacité d'adaptation surprennent les Japonais qui ont eu le tort de sous-estimer leurs adversaires.

Iwo Jima, "l'île forteresse"

En octobre 1944, la flotte japonaise est anéantie à Leyte, aux larges des Philippines. Pour défaire le Japon, les Américains doivent ensuite s'emparer des îles d'Iwo Jima et d'Okinawa situées à moins de 1200 km du Japon, où ils pourraient installer leur aviation pour soumettre le Japon à un bombardement systématique. Le 19 février 1945, 30000 marines débarquent sur l'île d'Iwo Jima. À l'intérieur des terres, camouflés dans d'innombrables galeries souterraines et dans des casemates, les Japonais imposent aux marines les combats les plus sanglants de leur histoire. La conquête du mont Suribachi coûte la vie à 6000 hommes, mais le 23 février, la bannière étoilée flotte sur la montagne. Les troupes américaines doivent cependant attendre la fin mars avant de contrôler totalement l'île. Sur une garnison de 21000 hommes, seuls 216 Japonais sont faits prisonniers: les autres préfèrent se sacrifier... pour l'empereur.

Les péniches de débarquement se dirigent vers les plages de l'île d'Iwo Jima, le 19 février 1945.

mars 1945
Le Rhin est franchi par les armées alliées. Les Américains s'emparent d'un pont le 7 mars. Les Britanniques franchissent le fleuve le 23 mars, et les Français le 31 mars.

12 avril 1945
Mort du président Franklin Delano Roosevelt (qui avait été élu pour la quatrième fois en novembre 1944). Il est remplacé par le vice-président Harry Truman à qui il reviendra de prendre la décision d'utiliser la bombe atomique contre le Japon.

Les Boeing B-29 basés sur les îles Mariannes, à Iwo Jima et Okinawa, vont mettre le Japon à genoux.

LES KAMIKAZES

Le 19 octobre 1944, au nord des Philippines, 20 pilotes japonais d'une vingtaine d'années, précipitent leurs appareils bourrés d'explosifs sur les navires américains. Le but est de gagner du temps en immobilisant les porte-avions. S'ils ne donnent pas la victoire à leur pays, ces pilotes volontaires au suicide, appelés kamikazes, démontrent leur volonté de se défendre jusqu'au bout.

Le Japon sous les bombes

Les bombardements américains contre le Japon ont débuté en 1944. Mais à partir de mars 1945, depuis les îles Mariannes puis celle d'Iwo Jima, ils se multiplient sur les grandes villes de l'archipel (Tokyo, Osaka, Kobe). Les bombes incendiaires font des ravages sur les maisons japonaises en bois et des centaines de milliers de victimes périssent dans les flammes.

Okinawa

Le 1er avril 1945, 50 000 marines débarquent sur les plages d'Okinawa, à 500 km des côtes japonaises. Les combats sont féroces. Fin juin, l'île est entre leurs mains. Les soldats japonais comptent 110 000 tués. Plus de 100 000 civils meurent également dans les combats ou préfèrent le suicide à une reddition honteuse. Les marines comptent 7 600 morts et 31 807 blessés. Les batailles d'Okinawa et de Iwo Jima ont montré aux Américains la détermination des Japonais à défendre leur pays et leur font craindre les conséquences d'un débarquement sur l'archipel nippon.

À Okinawa, en avril 1945, comme à Iwo Jima, les marines doivent se battre contre des soldats japonais qui luttent avec acharnement et refusent de se rendre.

13 avril 1945
Les Soviétiques entrent dans Vienne. L'Autriche va être divisée en quatre zones d'occupation entre les Britanniques, les Américains, les Soviétiques et les Français. Elle retrouvera son entière souveraineté en 1955.

28 avril 1945
Arrêté par des résistants, Mussolini est exécuté à Dongo avec sa maîtresse Clara Petacci. Leurs corps sont ensuite exposés à Milan.

L'arme atomique

Depuis juillet 1945, le président Truman sait qu'il dispose d'une arme d'une puissance inimaginable : la bombe atomique. Le 26 juillet, il adresse un ultimatum aux Japonais : se rendre sans condition ou subir le feu de cette nouvelle arme.

Enola Gay

Après Okinawa, les Japonais savent qu'ils vont perdre la guerre. Mais en raison de l'esprit de sacrifice qui anime cette population et ses 3 millions de soldats, les Américains estiment que l'archipel peut tenir encore deux ans. Le président Truman, successeur de Roosevelt, est décidé à utiliser la bombe. L'ultimatum est rejeté par les Japonais le 28 juillet. Le colonel Paul Tibbets, pilote de bombardier basé sur l'île de Tinian dans les Mariannes, reçoit alors l'ordre d'utiliser l'arme atomique dès que la météo le permettra. Le 6 août 1945, vers 2 h du matin, le B-29 *Enola Gay* décolle à destination d'Hiroshima. Dans ses soutes, une seule bombe : 4 tonnes, 3,50 m, 75 cm de diamètre. On l'a baptisée "Little Boy".

Little Boy est larguée

Le 6 août 1945, une journée semble-t-il banale commence pour les 250 000 habitants d'Hiroshima. À 8 h 15, Little Boy est larguée. Cinquante-trois secondes plus tard, elle explose à 600 m au-dessus d'Hiroshima et un énorme nuage s'élève prenant la forme d'un gigantesque champignon. Au sol, dans un rayon de 4 km, une boule de feu de plusieurs milliers de degrés réduit en cendres la ville et ses habitants. Une onde de choc de plus de 1 000 km/h ravage tout et transporte sur des kilomètres les radiations nucléaires responsables des cancers détectés chez les survivants. Au total, 80 000 personnes meurent et 70 000 sont blessées, dont un grand nombre, gravement brûlé, ne survivra que quelques jours. Le Japon refusant toujours de capituler, Nagasaki est à son tour rayé de la carte par une bombe nucléaire le 9 août ; 70 000 Japonais sont tués.

Une reddition sans condition

Le 10 août, le gouvernement japonais accepte les conditions des Alliés, mais demande que l'empereur ne soit pas déchu. Le 15 août 1945, à la radio, l'empereur Hirohito s'adresse à son peuple qui n'avait jamais entendu le son de sa voix : il faut accepter l'inacceptable, dit-il, le Japon doit capituler. Le 2 septembre 1945, les délégations japonaises et alliées signent sur le cuirassé *Missouri*, dans la rade de Tokyo, la capitulation sans condition du Japon, mettant un terme à la Seconde Guerre mondiale.

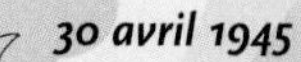

30 avril 1945
Encerclés dans le bunker de la chancellerie du Reich à Berlin, Adolf Hitler et sa femme Eva Braun se suicident. Hitler a désigné l'amiral Dönitz pour lui succéder à la tête du Reich et de l'armée.*

3 mai 1945
Les Britanniques reprennent Rangoon, capitale de la Birmanie. L'empire des Indes n'est plus menacé et les Anglais peuvent rétablir les liaisons terrestres avec les Chinois de Tchang Kaï-Chek.

5 mai 1945

La 2e division blindée du général Leclerc parvient jusqu'au Nid d'Aigle d'Adolf Hitler, à Berchtesgaden, dans les Alpes bavaroises. Le prestige de cette division survivra à Leclerc, qui meurt le 28 novembre 1947 dans un accident d'avion, en Algérie.

8 mai 1945

À Berlin, au quartier général des forces soviétiques, le général Keitel signe devant le maréchal Joukov et le maréchal britannique Tedder la capitulation sans condition de la Wehrmacht. Les généraux français et américain de Lattre et Spaatz sont témoins.*

Les procès de la Seconde Guerre mondiale

Dès novembre 1943, les Soviétiques, les Américains et les Britanniques avaient décidé de livrer à la justice les criminels de guerre. Le 8 août 1945, les Alliés réunissent un tribunal à Nuremberg pour juger les Allemands. En avril 1946, un tribunal est formé à Tokyo pour juger les Japonais.

Le procès de Nuremberg

Du 20 novembre 1945 au 1er octobre 1946, à Nuremberg, le tribunal militaire international juge 24 dirigeants et 8 organisations nazis accusés de crimes contre la paix (préparation et incitation à des guerres d'agression), de crimes de guerre et, nouvelle notion juridique, de conspiration contre l'humanité. Le tribunal définit ainsi le crime contre l'humanité : « assassinat, extermination, réduction en esclavage, déportation et tout autre acte inhumain commis contre toute population civile, avant ou pendant la guerre, ou bien les persécutions pour des motifs raciaux ou religieux ».

Les accusés. En bas, de gauche à droite : Göring, Hess, von Ribbentrop, Keitel, Kaltenbrunner, Rosenberg, Frank, Frick, Streicher, Funk et Schacht. En haut, de gauche à droite : Dönitz, Raeder, von Schirach, Sauckel, Jodl, von Papen, Seyss-Inquart, Speer, von Neurath et Fritzsche.

Les condamnations

Le 1er octobre, 12 nazis sont condamnés à mort, dont Göring, maréchal de la Luftwaffe* (qui se suicide la veille de l'exécution), Ribbentrop, ministre des Affaires étrangères, Kaltenbrunner, responsable de la mise en place de la "solution finale", Keitel, commandant suprême de la Wehrmacht*. Ils sont pendus le 16 octobre 1946 à Nuremberg. Quant aux autres chefs nazis, 3 sont condamnés à la prison à perpétuité, 4 à des peines allant de 10 à 20 ans de prison, et 3 sont acquittés.

John Wood, le bourreau, sur la potence avec laquelle il va exécuter les condamnations à mort prononcées à l'encontre des criminels de guerre du régime nazi.

8 mai 1945
Dans le Constantinois, en Algérie, une insurrection nationaliste est réprimée dans le sang par l'armée française et fait plus de 10 000 morts chez les Algériens.*

23 mai 1945
Le gouvernement allemand est dissout et la commission de contrôle alliée (Grande-Bretagne, États-Unis, URSS et France) administre l'Allemagne.

Le 2 septembre 1945, sur le navire de guerre américain Missouri, *la délégation japonaise attend la signature de la capitulation.*

Les crimes japonais

Dès 1931, les Japonais ont multiplié les meurtres, les viols et les pillages en Chine. Les prisonniers de guerre ne sont pas non plus épargnés. Les conditions de détention semblables à celles des camps de concentration nazis, et l'extermination par le travail ou par les "marches de la mort" dans les jungles d'Asie ont fait des milliers de morts parmi les prisonniers britanniques, australiens, néo-zélandais, américains, hollandais, français, indonésiens... Les peuples que le Japon devait délivrer du colonialisme occidental ont été brutalisés. Les Japonais ont également pratiqué des expériences "médicales" sur des prisonniers de guerre et des Chinois.

Le procès de Tokyo

À partir de mai 1946, à Tokyo, le tribunal militaire international pour l'Extrême-Orient juge 28 anciens dirigeants politiques et militaires japonais accusés de crimes de guerre, de crimes contre la paix et de crimes contre l'humanité. L'empereur Hirohito n'est pas parmi les accusés. Le général MacArthur, commandant les troupes américaines d'occupation au Japon, explique que « son inculpation provoquerait parmi le peuple de très graves remous, dont on ne saurait sous-estimer les répercussions ». Le 12 novembre 1948, 7 accusés sont condamnés à la peine capitale et sont pendus ; les autres sont condamnés à des peines de prison. Au moment où la tension entre les Américains et les Soviétiques grandit, le procès de Tokyo occulte une partie des crimes commis par les Japonais et le rôle joué par Hirohito. Car, pour faire du Japon leur base avancée en Extrême-Orient contre l'URSS*, les Américains essaient de gagner la sympathie du peuple japonais.

Des prisonniers de guerre alliés, près de Yokohama, libérés par la US Navy le 29 août 1945.

26 juin 1945
Lors de la conférence de San Francisco, 50 États élaborent la charte des Nations unies : maintenir la paix, favoriser le désarmement, le développement économique et social, les droits de l'homme. L'Organisation des Nations unies (ONU) est créée le 24 octobre 1945.

du 17 juillet au 2 août 1945
Conférence sur l'après-guerre à Potsdam entre Staline, Truman et Churchill pour fixer les nouvelles frontières de l'Allemagne, organiser son occupation, sa dénazification et son économie.

Le bilan de la guerre

La Seconde Guerre mondiale est une véritable catastrophe pour l'humanité. Jamais une guerre n'a été aussi destructrice.

Le lourd tribut payé par l'humanité

Cette guerre a fait plus de 50 millions de victimes militaires et civiles : près de 20 millions de morts en URSS*, 7,4 millions en Allemagne, 5,8 en Pologne, 2 au Japon, 400 000 au Royaume-Uni, 291 000 aux États-Unis, 640 000 en France, dont 400 000 civils... Le génocide des Juifs a fait 5,6 millions de victimes.

À Berlin, en 1946, comme dans toutes les villes en ruine d'Allemagne, les femmes sont réquisitionnées de force par les Alliés pour déblayer tous les gravas causés par les bombardements et les combats.

Un carnage sans précédent

C'est une véritable tragédie. La dignité humaine a été bafouée. Les tortures, les bombardements, les viols, les pillages, le travail forcé, les déportations de populations (30 millions de personnes), les camps de concentration et d'extermination nazis et les génocides juif et tsigane, révèlent la barbarie humaine. À la fin de la guerre, l'humanité entre dans l'ère nucléaire : une seule bombe peut désormais tuer des dizaines de milliers de personnes.

Les destructions

La Seconde Guerre mondiale a engendré des destructions considérables, notamment en Europe. En Allemagne, 70 % des villes sont rasées. En France, de très nombreuses villes sont détruites. L'Europe de l'Est, où la famine reparaît, est un champ de ruines : des grandes cités, comme Varsovie et Stalingrad, et des centaines d'autres villes et villages sont rayés de la carte.

En 1945, la ville de Varsovie n'est plus qu'un amas de cendres et de ruines.

6 et 9 août 1945
Deux bombes atomiques explosent. L'une à Hiroshima, l'autre à Nagasaki. Ces bombes d'une puissance inégalée utilisent les réactions de la fission de l'uranium pour Hiroshima, ou du plutonium pour Nagasaki.

9 août 1945
Les Soviétiques entrent en guerre contre le Japon. Ils envahissent la Mandchourie et la Corée. Près d'1 million de soldats japonais sont faits prisonniers.

L'Europe après la Seconde Guerre mondiale

Une économie bouleversée

L'économie européenne est anéantie. Si la Pologne a perdu la quasi-totalité de son industrie, l'Allemagne doit repartir de zéro. La France connaît un redressement, mais reste encore dépendante des Anglo-Américains. La Grande-Bretagne, qui combat sans relâche depuis 1939, sort épuisée de cette épreuve. De plus, les empires coloniaux sont ébranlés. Seuls les États-Unis sortent renforcés du conflit. Ils détiennent 80 % du stock d'or mondial, ont doublé leur production industrielle et augmenté leur revenu national de 75 %. L'URSS victorieuse occupe une partie de l'Europe, mais elle a subi des pertes humaines et matérielles terribles et sort de la guerre, elle aussi, véritablement exténuée.

La naissance de la guerre froide

La fin de la guerre marque le début de l'opposition entre les deux "superpuissances : les États-Unis et l'Union soviétique. Le terme de "guerre froide" illustre ce conflit latent et indirect. En Europe centrale, les communistes s'imposent et forment un bloc autour de l'URSS. Suite à cela, Churchill annonce qu'un « rideau de fer » s'est abattu sur cette partie de l'Europe.

En 1945, pour éviter une nouvelle tragédie mondiale, l'Organisation des Nations unies (ONU) est créée. Mais si l'ONU permet de maintenir un lien entre les deux grandes puissances, elle ne dispose pas des moyens d'imposer une vision pacifique du monde.

L'emblème des Nations unies a été approuvé le 7 décembre 1946. Une carte du monde entourée d'une couronne de branches d'olivier symbolisant la paix y figurent.

15 août 1945
La maréchal Pétain est condamné à mort pour trahison par la Haute Cour de justice. En raison de son âge, sa condamnation est commuée en internement à vie par le général de Gaulle. Laval est condamné à mort le 9 octobre et exécuté le 15.

2 septembre 1945
Dans la baie de Tokyo, sur le cuirassé américain Missouri, le général MacArthur et l'amiral Nimitz reçoivent la capitulation officielle du Japon. Le général Leclerc y représente la France.

Lexique

AEF
Afrique équatoriale française comprenant les territoires du Tchad, de l'Oubangui-Chari (actuelle République centrafricaine), du Congo et du Gabon.

AFN
Afrique française du Nord comprenant l'Algérie – territoire français –, le Maroc et la Tunisie (protectorats).

Afrikakorps
Troupes allemandes, commandées par le général Rommel, envoyées en Afrique du Nord pour soutenir les Italiens.

AOF
Afrique occidentale française comprenant le Sénégal, la Mauritanie, le Soudan français (actuel Mali), la Haute-Volta (Burkina Faso), le Dahomey (Bénin), la Côte-d'Ivoire, la Guinée et le Niger.

Axe
Alliance formée en 1936 par l'Allemagne et l'Italie, et étendue pendant la guerre au Japon, à la Roumanie, à la Bulgarie et à la Hongrie.

Armistice
Suspension des hostilités entre des belligérants. La France et l'Allemagne ont signé un armistice en juin 1940, mais pas la paix.

Blitz
Mot allemand signifiant "éclair". Il désigne les attaques aériennes allemandes contre la Grande-Bretagne durant la guerre. Le Blitz avait pour but de terroriser la population civile et de détruire les ports et les grands centres industriels.

Dantzig
Nom allemand de Gdansk, ville portuaire de la Baltique peuplée en majorité d'Allemands. En 1919, elle devient une ville libre sous le contrôle de la SDN*.

Flak
Abréviation de *Fliegerabwehr-kanone* (littéralement "canon de défense contre avion"). C'est la défense antiaérienne allemande.

Kapo
Vient de l'allemand *Kameraden-polizei* : "police des camarades". Ce terme désignait les détenus d'un camp de concentration, choisis par les SS* pour disposer d'une autorité sur les autres détenus.

Krach
Vient de l'allemand et désigne l'effondrement des cours d'un marché financier.

Kriegsmarine
Marine de guerre allemande.

Fasciste
Relatif au fascisme, une idéologie politique totalitaire qui ne tolère aucune opposition. Benito Mussolini l'instaure en 1922 en Italie. Elle est fondée sur le nationalisme*, l'anticommunisme, le corporatisme (organisation des travailleurs en corporations), le culte du chef, la violence et l'expansionnisme territorial.

FFI
Forces françaises de l'intérieur. Créées le 1er février 1944, elles regroupent les organisations militaires de la Résistance : les Francs-Tireurs et Partisans, l'Armée secrète et l'Organisation de résistance de l'armée.

Gestapo
Vient de l'allemand *Geheime Staatspolizei* signifiant "police secrète d'État". C'est la police politique nazie. Elle est créée en 1933 et est chargée de réprimer l'opposition politique en Allemagne, puis la résistance en Europe.

Luftwaffe
Armée de l'air allemande.

Nationalisme
Doctrine politique fondée sur l'idée que la nation est au premier rang des valeurs politiques et sociales, qu'elle a des droits et qu'elle doit pouvoir s'imposer aux autres nations pour se développer, même par la guerre.

National-socialiste
Relatif à la doctrine politique raciste, antisémite, antidémocratique, anticommuniste qui affirme que le peuple allemand est destiné à dominer le monde. Cette doctrine est exposée par Adolf Hitler dans son livre *Mein Kampf* (*Mon combat*), en 1923.

Panzer
Blindé en allemand, ce terme désigne plus particulièrement les chars.

Partisans
Combattants volontaires n'appartenant pas à l'armée régulière et menant une guérilla dans les forêts, les montagnes, mais aussi en ville. Les maquisards français, les communistes yougoslaves du maréchal Tito et les Soviétiques se battant derrière les lignes allemandes ont formé des unités de partisans.

Pogrom
Mot russe désignant des émeutes antisémites en Russie tsariste, s'accompagnant du pillage des biens juifs et de meurtres de Juifs.

RAF
Voir Royal Air Force.

Reich
Signifie "empire" en allemand. Le IIIe Reich est le nom donné au régime nazi entre 1933 et 1945.

Royal Air Force (RAF)
Armée de l'air britannique.

Royal Navy
Marine de guerre britannique.

SS
Initiales des *Schutzstaffeln* ("sections de sécurité"), organisations du parti nazi qui, à partir de 1934, dirigent les camps de concentration. Pendant la guerre, les SS se développent et forment notamment les Waffen SS : les SS armées. Ces initiales désignent également les personnes faisant partie de cette organisation.

Société des Nations (SDN)
Organisation internationale créée en 1919 par le traité de Versailles pour assurer le maintien de la paix mondiale grâce à la "sécurité collective", c'est-à-dire la politique de conciliation entre les États menée par la SDN.

Special Air Service (SAS)
Unité de commandos parachutistes britanniques destinée à agir en Europe occupée. Les SAS combattront également en Libye. Des parachutistes français sont intégrés aux SAS.

STO
Service du travail obligatoire instauré par Vichy sous la pression allemande en février 1943. Il prévoit d'envoyer des jeunes Français travailler en Allemagne. De nombreux réfractaires rejoindront les maquis de la Résistance.

U-Boot(e)
Sous-marin(s) allemand(s).

URSS
Union des républiques socialistes soviétiques instaurée par Lénine en 1922, après la victoire des bolcheviks (communistes) contre les armées "blanches" favorables à la monarchie tsariste. Cet immense État d'Europe et d'Asie est composé, à l'époque de la Seconde Guerre mondiale de quinze républiques.

Ouverte (ville)
Une ville déclarée "ouverte" ne doit pas être défendue et ne doit contenir aucune force armée. L'armée d'occupation qui s'y installe s'abstient de toute attaque contre elle. Les blessés, s'il y en a, doivent être soignés sans aucune distinction entre amis et ennemis.

Wehrmacht
Armée allemande comprenant la Heer (armée de terre), la Kriegsmarine* et la Luftwaffe*.

Index

Le numéro de page en italique signifie que le mot indexé se trouve dans la frise chronologique.

Références iconographiques

1re de couverture hd et b : Ch. Jégou ; hg : Collection Mémorial de Caen – 4e de couverture hd : LAPI / Roger-Viollet ; b : BBC – page de titre h : D. Grant ; b : G.P. Faleschini – 3 bd : G.P. Faleschini – 4 hd : D. Grant ; m : D.R. ; bd : BBC – 5 hg et b : LITTLE BIG MAN ; m : D. Grant – 6-7 : AKG-IMAGES – 8 : AKG-IMAGES – 9 h : M. Sinier ; bd : AKG-IMAGES – 10-11 : AKG-IMAGES – 12 hd et bg : D. Grant ; m : AKG-IMAGES – 13 hd et b : AKG-IMAGES ; mg : D. Grant – 14 hg : LAPI / Roger-Viollet ; bd : AKG-IMAGES – 15 hd : Centre national Jean Moulin / KEYSTONE-France ; mg : AKG-IMAGES ; b : PHOTOS12.COM-OASIS – 16-17 : M. Sinier – 17 m : D.R. – 18 hg : KEYSTONE-France ; md : AKG-IMAGES – 19 h : Collection ROGER-VIOLLET ; bd : D.R. ; bg : KEYSTONE-France – 20 : D. Grant – 21 hg : G.P. Faleschini ; hd et b : AKG-IMAGES – 22 h : PHOTOS12.COM-OASIS Collection particulière ; b : PHOTOS12.COM-ARJ – 23 h : J.-M. Steinlein / KEYSTONE-France ; m : PHOTOS12.COM-OASIS ; b : J.-M. Steinlein / EXPLORER ARCHIVE – 24-25 : G. P. Faleschini – 26 h : AKG-IMAGES ; b : PHOTOS12.COM-Collection Bernard Crochet – 27 h : AKG-IMAGES ; b : HARLINGUE / ROGER-VIOLLET – 28 hd et bd : AKG-IMAGES ; m : M. Sinier – 29 : AKG-IMAGES – 30 h : LITTLE BIG MAN ; b : AKG-IMAGES – 31 h et m : AKG-IMAGES ; b : LITTLE BIG MAN – 32 h : AKG-IMAGES ; b : M. Sinier – 33 hd : PHOTOS12.COM-Keystone Pressedienst ; mg : US National Archives / ROGER-VIOLLET ; b : KEYSTONE-France – 34 h : AKG-IMAGES ; b : D.R. – 35 h : LAPI / ROGER-VIOLLET ; m : Collection ROGER-VIOLLET ; b : D. Grant – 36 h : Collection ROGER-VIOLLET ; b : M. Sinier – 37 h et b : LITTLE BIG MAN – 38-39 : AKG-IMAGES – 40 h, m et bd : BBC ; bg : Collection ROGER-VIOLLET – 41 hd, hg et md : BBC ; b : Collection ROGER-VIOLLET – 42 h : LAPI / ROGER-VIOLLET ; B : AKG-IMAGES – 43 h : PHOTOS12.COM-Collection Bernard Crochet ; b : AKG-IMAGES – 44-45 : D. Grant – 46 h : PHOTOS12.COM-Hachedé ; b : AKG-IMAGES – 47 h : AKG-IMAGES ; b : LITTLE BIG MAN – 48-49 : G.P. Faleschini – 50 h et m : D. Grant ; bg : AKG-IMAGES – 51 hg et bd : AKG-IMAGES ; md et bg : D. Grant – 52 : AKG-IMAGES – 53 hd et bd : AKG-IMAGES ; bg : D. Grant – 54 h : M. Sinier ; m : PHOTOS12.COM-Hachedé ; b : LITTLE BIG MAN – 55 h : AKG-IMAGES ; b : BBC – 56 h : M. Sinier ; b : Collection ROGER-VIOLLET – 57 h : KEYSTONE-France ; b : AKG-IMAGES – 58-59 : D. Grant – 60 g : KEYSTONE-France ; d : M. Sinier – 61 h : Collection ROGER-VIOLLET ; b : PHOTOS12.COM-Collection DITE-USIS – 62 h : LITTLE BIG MAN ; b : BBC – 63 : LITTLE BIG MAN – 64 h : M. Sinier ; b : LITTLE BIG MAN – 65 : Ch. Jégou – 66 h : W. LASKI / KEYSTONE-France ; b : D.R. – 67 h : M. Sinier ; b : LITTLE BIG MAN – 68-69 : LITTLE BIG MAN – 70-71 : AKG-IMAGES – 72 h : AKG-IMAGES ; b : PHOTOS12.COM-Keystone Pressedienst – 73 h : KEYSTONE-France ; b : AKG-IMAGES – 74 : AKG-IMAGES – 75 h : M. Sinier ; b : D.R.

Les pictogrammes illustrant la frise chronologique ont été dessinés par Nicolas Julo.

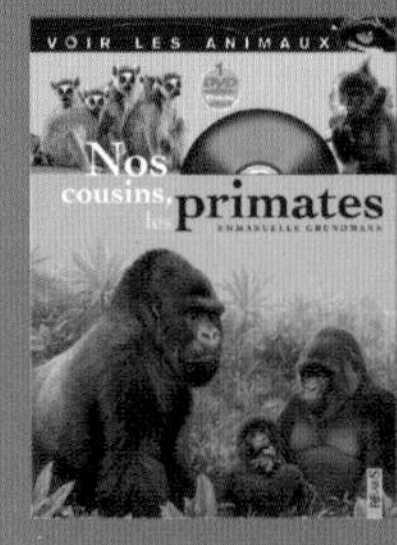
VOIR LES ANIMAUX
Nos cousins les primates
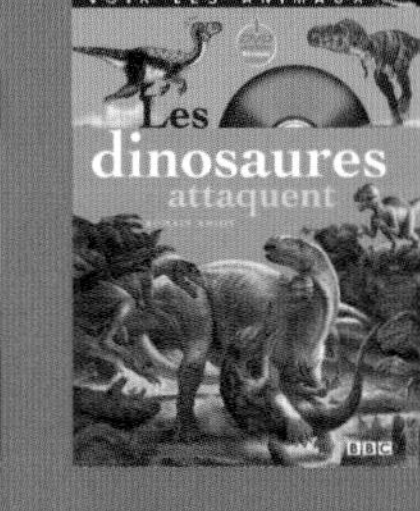
VOIR LES ANIMAUX
Les dinosaures attaquent
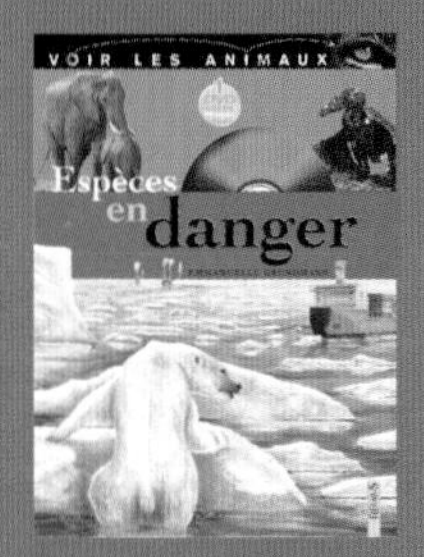
VOIR LES ANIMAUX
Espèces en danger
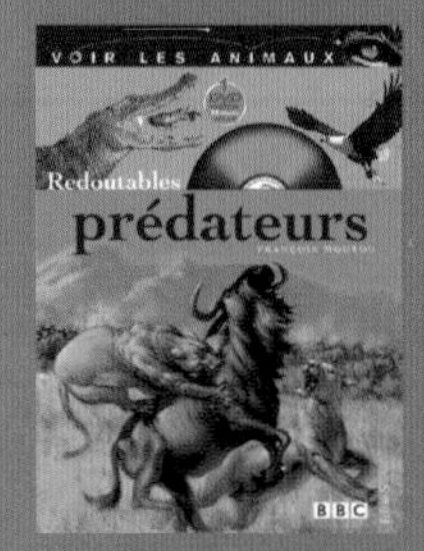
VOIR LES ANIMAUX
Redoutables prédateurs

VOIR LES ANIMAUX
Étonnants insectes

VOIR LES ANIMAUX
Les mammifères disparus
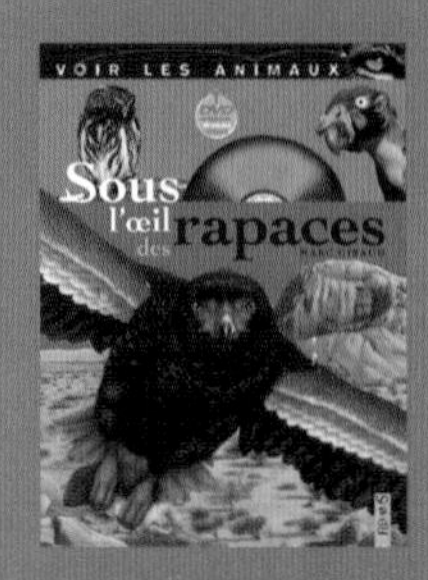
VOIR LES ANIMAUX
Sous l'œil des rapaces
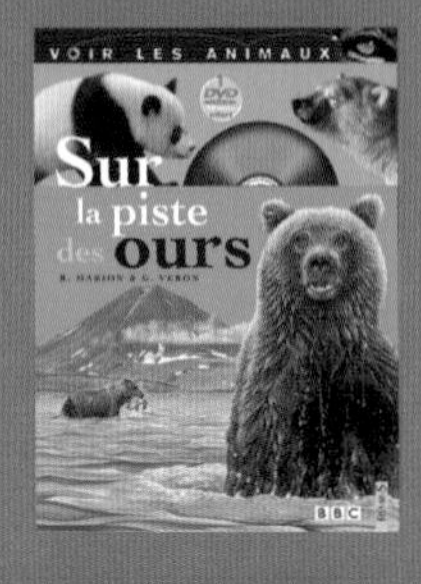
VOIR LES ANIMAUX
Sur la piste des ours

VOIR LES ANIMAUX
Les pouvoirs secrets des animaux
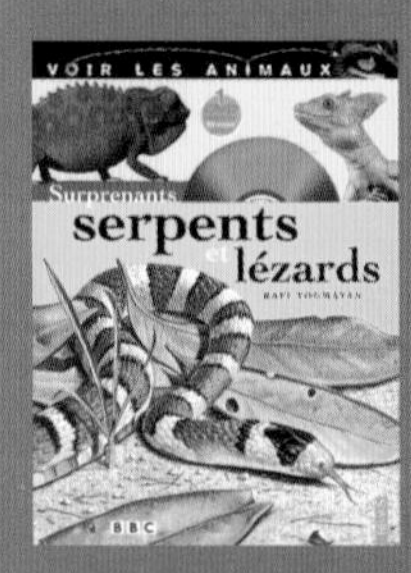
VOIR LES ANIMAUX
Surprenants serpents et lézards
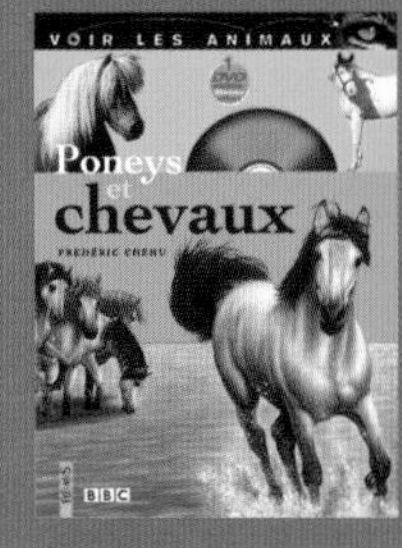
VOIR LES ANIMAUX
Poneys et chevaux

VOIR LES ANIMAUX
À vol d'oiseaux

VOIR LES ANIMAUX
Sur les traces des félins

VOIR LES ANIMAUX
En compagnie des loups

VOIR LES ANIMAUX
Naître

VOIR LES ANIMAUX
Le requin, seigneur des mers
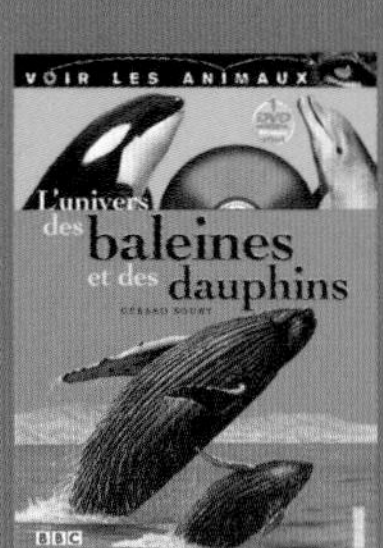
VOIR LES ANIMAUX
L'univers des baleines et des dauphins

VOIR L'HISTOIRE
La préhistoire

VOIR L'HISTOIRE
Au temps des pharaons
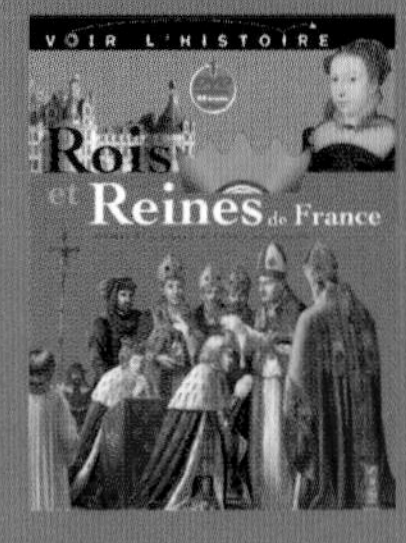
VOIR L'HISTOIRE
Rois et Reines de France
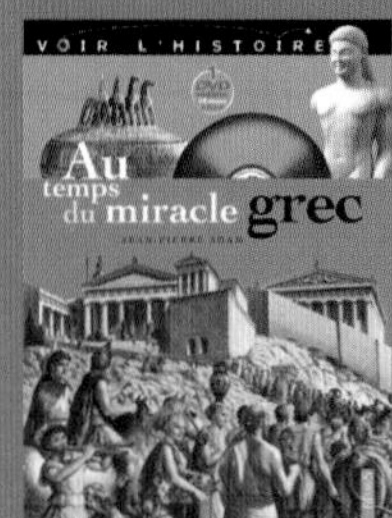
VOIR L'HISTOIRE
Au temps du miracle grec
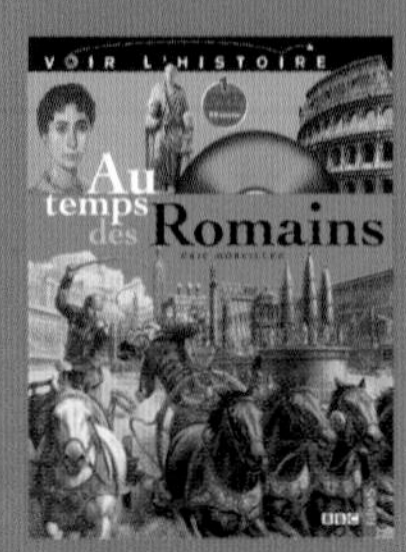
VOIR L'HISTOIRE
Au temps des Romains

VOIR L'HISTOIRE
La Chine impériale
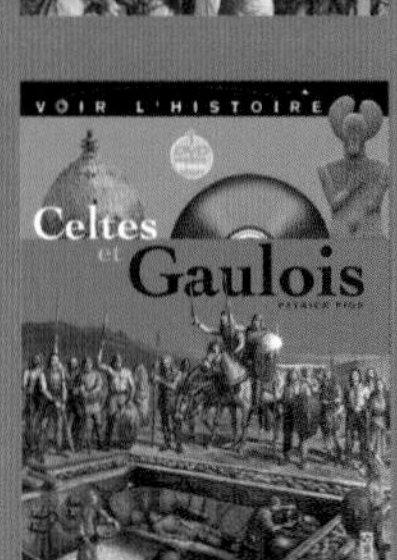
VOIR L'HISTOIRE
Celtes et Gaulois
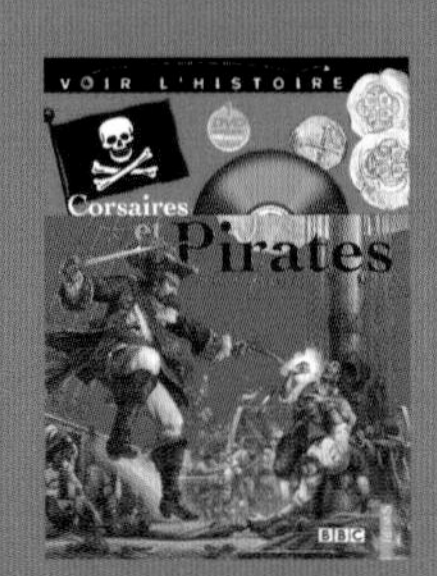
VOIR L'HISTOIRE
Corsaires et Pirates
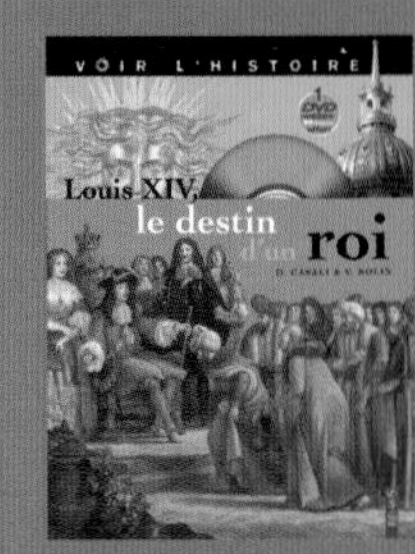
VOIR L'HISTOIRE
Louis XIV, le destin d'un roi
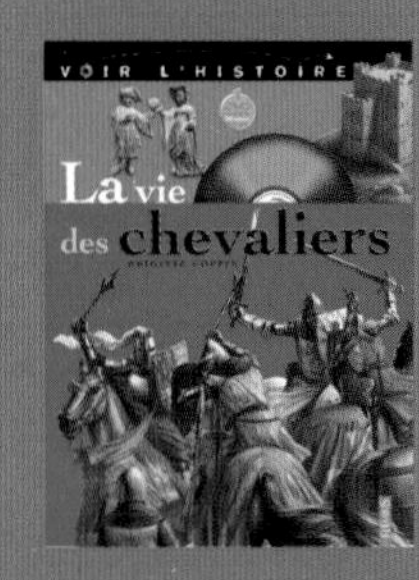
VOIR L'HISTOIRE
La vie des chevaliers
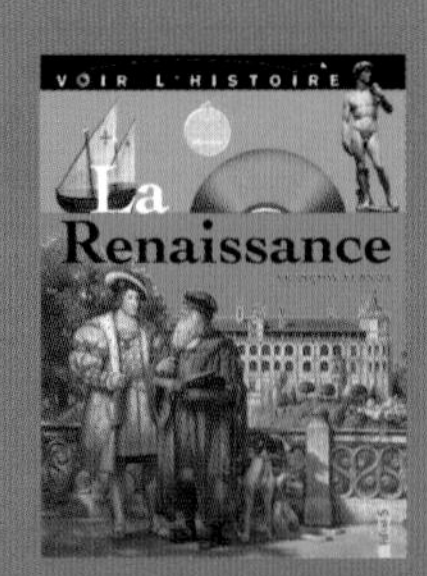
VOIR L'HISTOIRE
La Renaissance
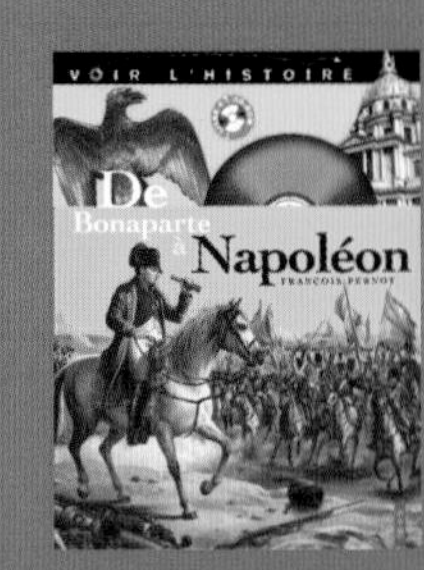
VOIR L'HISTOIRE
De Bonaparte à Napoléon

VOIR L'HISTOIRE
La Première Guerre mondiale
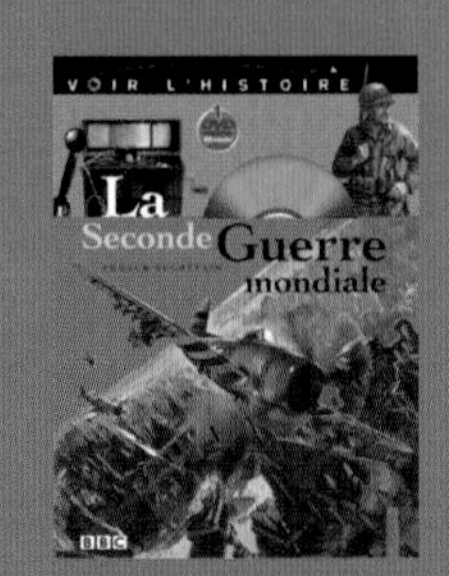
VOIR L'HISTOIRE
La Seconde Guerre mondiale

VOIR L'HISTOIRE
Charles de Gaulle
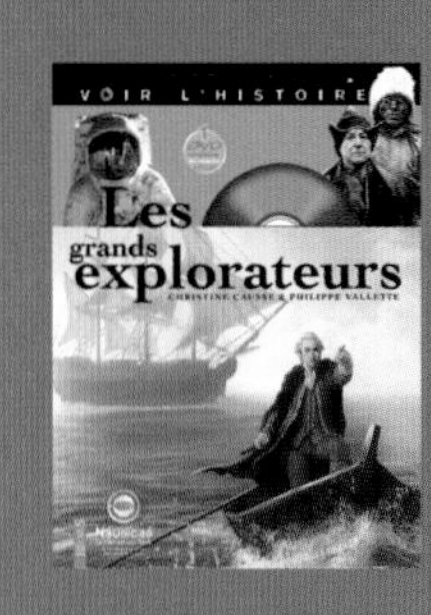
VOIR L'HISTOIRE
Les grands explorateurs
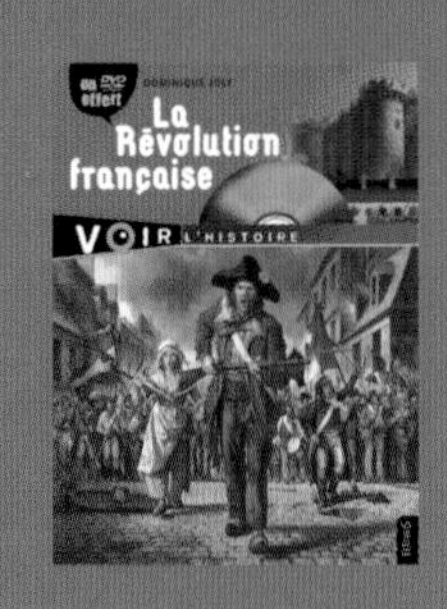
La Révolution française
VOIR L'HISTOIRE
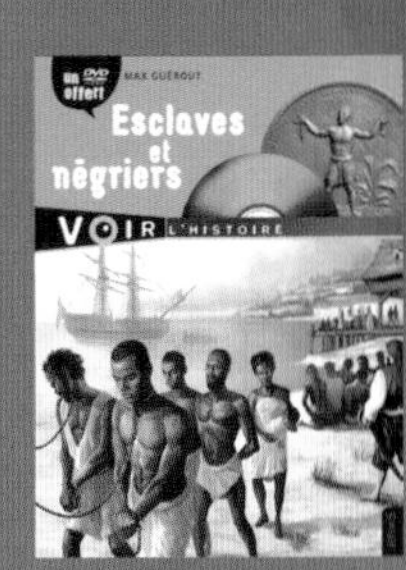
Esclaves et négriers
VOIR L'HISTOIRE